光緒庚寅秋
九月杭州許
氏榆園校刊

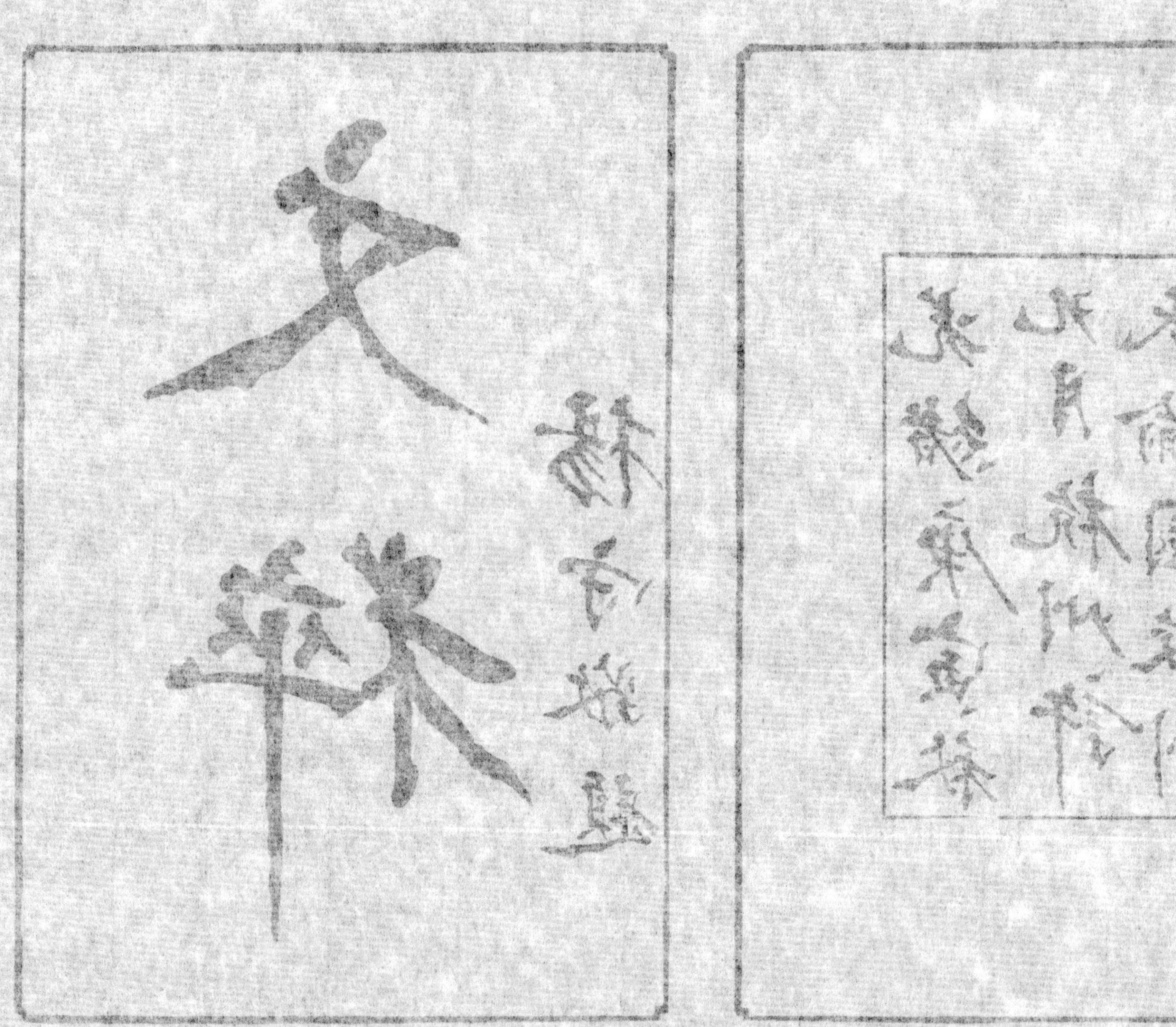

文華

楊守敬題

文[illegible]園校刊

九月[illegible]州[illegible]

[illegible]

序

總集之始昉於德施嗣是不祧厥爲寶臣矣然德施綜八代之柄意主銜時寶臣持一代之衡道在反古撰著則同義例迥別後之人咨嗟放失雅志補苴世遠恐湮文簡足貴故宋陳子仁有文選補遺之作初規漸失繁文是徵論者諒之取其博不必擇之精也有唐斯文抗於三古通儒大人前輝後光典冊高文左麟右鳳寶臣仰繼蕭選俯開宋鑑酌海沆瀣披林英華躬逢封禪之盛志在著作之林喬喬皇皇文文章章洵足旌伐于煙墨展義于竹素者哉顧世沿五季人習時體穆修首與柳開爲倡歐陽始見昌黎之文古文載興遺製罕覯其有搜羅未廣篇帙未宏則宋之世爲之也爰歷元明越年七百値我

朝右文之治恭逢

今皇帝欽定全唐文一千卷刊於揚州而有唐一代之文於是乎畢備吾友郭君博總載籍翹志立言以爲自宋以來文體駁雜孤陋者襲秦漢之貌而義不屬氾濫者循歐蘇之迹而神不凝中立之品世無其人惟文粹一編足折流弊輒以餘力補其所遺仍甄取其宏通不規求於隱僻凡爲例若干爲卷若干夫文章神物也選擇專門也補遺又泛務也苟非彊毅性成介特自立曷能去取惟允質諸英靈而無憾好尚所壹投諸蘭鮑而共歆古之功臣世之宗師其業可不謂精勤者乎書成於全唐文未纂之前當顯於全唐文既成之後益

四庫七閣非處逸所得窺給札寫書乃稽古之曠遇世珍祕本雖已大公家承賜書豈能廣布則繼文粹而作者實附全唐文而行也露屋一鐙近光於五緯窮年一老致力於千秋是編之行又豈文選補遺之比哉勇實檮昧莫窺淵涯心好此書遂爲付梓嘉慶二十四年歲在己卯孟冬之月英山金勇謹序

序

文章總集萌芽摯虞傳於今者昭明肇始踵斯剬緝代有瑕瑜宋姚寶臣銓採英華開收所佚式靡返古論者韙焉夫前驅有功後援難繼知言之選彥和歎之自非熟審流別妙析理致欲其曉音識曲甄敘羣品傎矣吾友祥伯郭君圓照博觀獨辟如鏡謂古今文質升降唐實其樞姚選而外餘製可綜乃契前修之初心窺哲匠之微恉持擇矜慎矩矱元書小有變通自爲序例芟翦皀鄧本三準以別裁辯白淄澠嗣八代而振響眇眇來世儻塵彼觀非所謂通方廣恕好遠兼愛者歟俗尚近易謬託起衰深廢淺售分茅設蕝方隅之見葢未足語於斯鎮洋彭兆蓀湘涵

重斠刻文粹補遺小引

文粹補遺二十六卷吳江郭頻伽先生纂嘉慶己卯英山金近園氏刻於邗上最後有文粹攷異之輯亦頻伽先生創稾近園補綴成書者以事中輟遂未刊行道光二十六年予與近園訂交皖上譚次及之時近園選涇縣校官將之任未暇詢其攷異稾本存焉否也今年斠刊文粹畢工遂續刊補遺竢後頻伽先生等身箸述嘗以餘力及此扶翼前修詔示來學寶臣有知亦必斂衽地下許爲後世相知無疑也予私淑靈芬門下近五十年蠖落無聞愧竢於湜籥之列往歲斠刻靈芬館詞七卷旣已風行續刊此集意在使先生手澤長留天壤閒爲蓺林津逮也文章之事修辭紀事至唐備體而變亦盡矣先生取舍之旨具於序例不必盡同姚氏故名類不悉備而廓徑涂以極才思所謂張皇幽眇補苴罅漏正先生之善讀古書耳斠訂例言詳諸前帙玆不具贅云光緒辛卯九月仁和許增邁孫識

序

有唐之文代凡三變厥習靡孅翕闢宏麗巖廟鉅製有開必先王楊而後燕許代興而載之至之出焉豐縟冠帶威威儀儀華則榮矣恢張病之於是桀立峻悍俶儻張施程古切今橫厲踔轢曲江梓潼揚之而未宏昌黎河東卓然而倡號一時從風若羽翼鳳而腳走麟李氏皇甫氏之徒爲其佐矣文章之運與世升降日昃月虧風流逌然其有憤發毅雄信道不惑遭値末流悼歎愊臆忠信彊仁又足以副之而加學焉時無鉅材犇盪自憙孫劉皮陸司空氏由此其選也循初訖終波瀾各異指歸無殊選穠割腴離骨扶髓要以體沿前代而風樹本朝寍剗丹華亦不純質素近古則辭語異今遠俗則文字爾雅是固然矣寶臣茲選非徒標榜一代實亦別具微指蒙竊莞窺以爲文章之作此其絜皐徵義理者以變格爲達言篤訓諭者以修辭爲聱說道學興而俚喭無譏時訓通而古昔見怪唐賢雖變此途莫繇日日以趨未知其極意不自量輒廣所羅要以宣之同志非欲妄自異人所餘弋獲列於凡例云爾嘉慶己卯八月吳江郭麐序

凡例

一文粹首列詩賦皆取古體最爲有識賦則所取之外所遺無幾詩雖尚夥然爲專門之學者自能於全集中探索不假增益之也故是編闕此二門

一文粹於分體之中更列子目使學者易於檢尋瀏覽然頗嫌瑣碎且有不盡當者如碑一門中以項羽廟碑別爲姧雄殊不滿人意是編更不別標惟碑誌序記中略以類相從餘則皆以時代先後爲次

一文粹論一門所取幾無遺矣他如議辯箴銘之類補入者不能各自成卷今以類相從合爲一卷列於古文之前

一文粹所取之文皆以古質簡奧爲主駢體入選者甚少然如少姨廟碑之屬亦不能割愛是編於駢儷閒登一二猶此志也至玉谿生釋道二碑向所未見其文沈博絕麗玉谿亦自許不凡故全錄之

一是編意主搜羅幽隱故於韓柳皆略惟平淮西碑爲韓公大手筆而文粹錄段而遺韓竊所未安爰爲鈔入送窮文亦然柳州文奇峭刻露亦加登數首

一文粹無行狀一門今爲補入一卷列於碑誌之後

一二氏之文非無可采終於例不醇今皆不收

文粹補遺目録

吳江 郭麐 纂

文粹補遺目錄

吳江 潘書贊

文粹補遺目錄終

文粹補遺目錄終

文粹補遺卷弟一

吴江　郭麐纂

表奏書疏一 總五首

十漸疏　魏徵

臣觀自古帝王受圖定鼎皆欲傳之萬代貽厥孫謀故其垂拱巖廊布政天下其語道也必先淳樸而抑浮華其論人也必貴忠良而鄙邪佞言制度也則絕奢靡而崇儉約談物產也則重穀帛而賤珍奇然受命之初皆遵之以成治稍安之後多反之而敗俗其故何哉豈不以居萬乘之尊有四海之富出言而莫己逆所爲而人必從公道溺於私情禮節虧於嗜欲故也語曰非知之難行之惟難非行之難終之斯難斯言信矣伏惟陛下年甫弱冠大拯横流削平區宇肇開帝業貞觀之初時方克壯抑損嗜欲躬行節儉內外康寧遂臻至治論功則湯武不足方語德則堯舜未爲遠臣自擢居左右十有餘年每侍帷幄屢奉明旨常許仁義之道守之而不失儉約之志終始而不渝一言興邦斯之謂也德音在耳敢忘之乎而頃年已來稍乖曩志敦樸之理漸不克終謹以所聞列之如左陛下貞觀之初無爲無欲清靜之化遠被遐荒考之於今其風漸墮聽言則遠超於上聖論事則未踰於中主何以言之漢文晉武俱非上哲漢文辭千里之馬晉武焚雉頭之裘今則求駿馬於萬里市珍奇於域外取怪於道路見輕於戎狄此其漸不克終一也昔子貢問理人於孔子孔子曰懍乎若朽索之馭六馬子貢曰何其畏哉子曰不以道導之則吾讎也若何其無畏故書曰民惟邦本本固邦寧爲人上者柰何不敬陛下貞觀之始視人如

傷恤其勤勞愛民猶子每存簡約無所營爲頃年已來意在奢縱忽忘卑儉輕用人力乃云百姓無事則驕逸勞役則易使自古已來未有由百姓逸樂而致傾敗者也何有逆畏其驕逸而故欲勞役者哉恐非興邦之至言豈安人之長算此其漸不克終二也陛下貞觀之初損己以利物至於今日縱欲以勞人卑儉之迹歲改驕奢之情日異雖憂人之言不絶於口而樂身之事實切於心或時欲有所營慮人致諫乃云若不爲此不便我身人臣之情何可復爭此直意在杜諫者之口豈曰擇善而行者乎此其漸不克終三也立身成敗在於所染蘭芷鮑魚與之俱化愼乎所習不可不思陛下貞觀之初砥礪名節不私於物惟善是與親愛君子疏斥小人今則不然輕褻小人禮重君子重君子也敬而遠之輕小人也狎而近之近之則不見其非遠之則莫知其是莫知其是則不閒而自疏不見其非則有時而自昵昵近小人非致理之道疏遠君子豈興邦之義此其漸不克終四也書曰不作無益害有益功乃成不貴異物賤用物人乃足犬馬非其土性不畜珍禽奇獸弗育於國陛下貞觀之初動遵堯舜捐金抵璧反樸還淳頃年已來好尙奇異難得之貨無遠不臻珍玩之作無時能止上好奢靡而望下敦樸未之有也末作滋興而求豐實其不可得亦已明矣此其漸不克終五也貞觀之初求賢如渴善人所舉信而任之取其所長恆恐不及近歲已來由心好惡或衆善舉而用之或一人毀而棄之或積年任而用之或一朝疑而遠之夫行有素履事有成跡所毀之人未必可信於所舉積年之行不應頓失於一朝君子之懷蹈仁義而宏大德小人之性好讒佞以爲身謀陛下不審察其根源而輕爲之臧否是使守道者日疏干求者日進所以人思苟免莫能盡力此其漸不克終六也陛下初登大位高居深視事惟清靜心無嗜欲內除畢弋之物外絶畋獵之源數載之後不能固志雖無十旬之逸或過三驅之禮遂使盤遊之娛見譏於百姓鷹犬之貢遠及於四夷或時教習之處道路遙遠侵晨而出入夜

方還以馳騁爲歡莫慮不虞之變事之不測其可救乎此其漸不克終七也孔子曰君使臣以禮臣事君以忠然則君之待臣義不可薄陛下初踐大位敬以接下君恩下流臣情上達咸思竭力心無所隱頃年以來多所忽略或外官充使奏事入朝思覩闕庭將陳所見欲言則顔色不接欲請又恩禮不加閒因所短詰其細過雖有聽辯之略莫能申其忠款而望上下同心君臣交泰不亦難乎此其漸不克終八也傲不可長欲不可縱樂不可極志不可滿四者前王所以致福通賢以爲深誡陛下貞觀之初孜孜不怠屈己從人恆若不足頃年以來微有矜放恃功業之大意蔑前王負聖智之明心輕當代此傲之長也欲有所爲皆取遂意縱或抑情從諫終是不能忘懷此欲之縱也志在嬉遊情無厭倦雖未全妨政事不復專心治道此樂將極也率土乂安四夷款服仍遠勞士馬問罪遐裔此志將滿也親狎者阿旨而不肯言疏遠者畏威而莫敢諫積而不已將虧聖德此其漸不克終九也昔陶唐成湯之時非無災患而稱其聖德者以其有始有終無爲無欲遇災則極其憂勤時安則不驕不逸故也貞觀之初頻年霜旱畿內戶口並就關外攜負老幼來往數千曾無一戶逃亡一人怨苦此誠由識陛下矜育之懷所以至死無攜貳頃年以來疲於徭役關中之人勞弊尤甚雜匠之徒下日悉留和雇正兵之輩上番多別驅使和市之物不絕於鄉閭遞送之夫相繼於道路既有所弊易爲驚擾脫因水旱穀麥不收恐百姓之心不能如前日之寍貼此其漸不克終十也臣聞禍福無門唯人所召人無釁焉妖不妄作伏惟陛下統天御寓十有三年道洽寰中威加海外年穀豐稔禮教聿興比屋喻於可封菽粟同於水火暨乎今歲天災流行炎氣致旱乃遠被於郡國凶醜作孽忽近起於轂下夫天何言哉垂象示誡斯誠陛下驚懼之辰憂勤之日也若見誡而懼擇善而從同周文之小心追殷湯之罪己前王所以致理者勤而行之今時所以敗德者思而改之與物更新易人視聽則寶祚無疆普天幸甚何禍敗

之有乎然則社稷安危國家理亂在於一人而已當今太平之基旣崇極天之峻九仞之積猶虧一簣之功千載休期時難再得明王可爲而不爲微臣所以鬱結而長歎者也臣誠愚鄙不達事機略舉所見十條輒以上聞聖聽伏願陛下採臣狂瞽之言參以芻蕘之議冀千慮一得竊職有補則死日生年甘從斧鉞

諫雅州討生羌書　陳子昂

將仕郎守麟臺正字臣陳子昂昧死上言竊聞道路云國家欲開蜀山自雅州道入討生羌因以襲擊吐蕃執事者不審圖其利害遂發梁鳳巴蜑兵以徇之臣愚以爲西蜀之禍自此結矣臣聞亂生必由怨起雅之邊羌自國初以來未嘗一日爲盜今一旦無罪受戮其怨必甚怨甚懼誅必蜂駭西山西山盜起則蜀之邊邑不得不連兵備守兵久不解則蜀之禍搆矣昔後漢末西京喪敗蓋由此諸羌此一事也且臣聞吐蕃桀黠之虜君長相信而多奸謀自敢抗天誅邇來向二十餘載大戰則大勝小戰則小勝未嘗敗

一隊亡一矢國家往以薛仁貴郭待封爲虓武之將屠十萬眾於大非之川一甲不歸又以李敬元劉審禮爲廊廟之宰辱十八萬眾於青海之澤身爲囚虜是時精甲勇士勢如雲雷然竟不能擒一戎馘一醜至今而關隴爲空今乃欲以李處一爲將驅羸頓之兵將襲吐蕃臣竊憂之而爲此虜所笑此二事也且夫事有求利而得害者則蜀昔時不通中國秦惠王欲帝天下而并諸侯以爲不兼賓不取蜀勢未可舉乃用張儀計飾美女譎金牛因開以啖蜀侯蜀侯貪其利使五丁力士鑿山通谷棧褒斜置道於秦自是險阻不關山谷不閉張儀躡踵乘便縱兵大破之蜀侯誅賓邑滅至今蜀爲中州是貪利而亡此三事也且臣聞吐蕃羯虜愛蜀之珍富欲盜之久有日矣然其勢不能舉者徒以山川阻絕障隘不通此其所以頓餓狼之喙而不得竊食也今國家乃撤邊羌開隘道使其收奔亡之種爲鄉導以攻邊是乃借寇兵而爲賊除道舉全蜀以遺之此四事也臣竊觀蜀爲西南一都會國家之寶庫

天下珍貨聚出其中又人富粟多順江而下可以兼濟中國今執事者乃圖僥倖之利悉以委事西羌得西羌地不足以稼穡財不足以富國徒殺無辜之眾以傷陛下之仁糜費隨之無益聖德又況僥倖之利未可圖哉此五事也夫蜀之所寶恃險者也人之所安無役者也今國家乃開其險役其人險開則便寇人役則傷財臣恐未及見羌戎而已有奸盜在其中矣往年益州長史李崇眞將圖此奸利傳檄稱吐蕃欲寇松州遂使國家盛軍以待之轉餉以備之未二三年巴蜀二十餘州騷然大弊竟不見吐蕃之面而崇眞贓錢已計巨萬矣蜀人殘破幾不堪命此乃近事猶在人口陛下所親知臣愚意者得非有奸臣欲圖此利復以生羌爲計者哉此六事也且蜀人尩孱（一作劣）不習兵戰一虜持矛百人莫敢當又山川阻曠去中夏精兵處遠今國家若擊西羌掩吐蕃遂能破滅其國奴虜其人使其君長係首北闕計亦可矣若不到如此臣方見蜀之邊陲不守而爲羌夷所橫暴昔辛有見被髮而祭伊川

者以爲不出百年此其爲戎乎臣恐不及百年而蜀爲戎此七事也且國家近者廢安北拔單于棄龜茲放疏勒天下翕然謂之盛德所以者何蓋以陛下務在人不在廣務在養不在殺將以此息邊鄙休甲兵行乎三皇五帝之事者也今又徇貪夫之議謀動兵戈將誅無罪之戎而遺全蜀之患將何以令天下乎此愚臣所甚不悟者也況當今山東饑饉隴弊歷歲枯旱人有流亡誠是聖人寧靜思和天人之時不可動甲兵興大役以自生亂臣又流聞西軍失守北軍不利邊人忙動情有不安今者復驅此兵投之不測臣聞自古國亡家敗未嘗不由黷兵今小人議夷狄之利非帝王之至德也又況弊中夏哉臣聞古人善爲天下者計大而不計小務德而不務刑圖其安則思其危謀其利則慮其害然後能享福祿伏願陛下熟計之

舉陳寡尤等表　　張說

文林郎陳寡尤年六十四（貫滄州）右出身四十餘年懷道抱德博涉

經史白首幽棲不求聞達堪激勵化俗處諫諍之官幽州節度使參謀劉待授年六十四貫京兆府右懷德退靜立操端確精通術數堪備顧問四品于忌年三十二貫京兆府右志定神和學精文遠達皇王正道通古今大義堪拾遺左右以前幽州都督兼節度管內諸軍經略大使攝御史大夫燕國公張說奏稱臣身任邊城心在庭闕報國之志莫若進賢勅旨陳寡尤等三人宜並追取試練考覆臣說言知賢不達謂之竊位聞賢而拒是乃蔽君竊位冒也蔽君姦也有姦與冒何以事君臣前歲入朝特蒙顧問聖情側席懼有遺賢臣以寡尤三人上聞天聽中書宣旨取考覆吏部爲勅宣下文書三載於今一人不至夫輕進者是干祿之人靜退者是養高之士天下廉讓之風未長趨競之俗未懲若令所司引試招其隱逸士寧伏死巖穴焉肯拜侍郎之庭哉徒有薦賢之名竟無進賢之實非朝廷禮賢之道豈陛下求賢之心近因奏謁具承天旨請勅州縣各以禮徵至京之日中書引見然後付與宰臣試言採賾必有可採置彼周行如當謬薦罪臣所舉謹錄前舉狀本如前

諫大饗用倡優媟狎書　武平一

樂天之和禮地之序禮配地樂應天故音動於心聲形於物因心哀樂感物應變樂正則風化正樂邪則政教邪先王所以達廢興也伏見胡樂施於音律本備四夷之數比來日益流宕異曲新聲哀思淫溺始自王公稍及閭巷妖伎胡人街童市子或言妃主情貌或列王公名質詠歌蹈舞號曰合生昔齊衰有行伴侶陳滅有玉樹後庭花趨數驁僻皆亡國之音夫禮慊而不進即銷樂流而不反則放臣願屏流僻崇肅雍凡胡樂備四夷外一皆罷遣況兩儀承慶殿者陛下受朝聽政之所比大饗羣臣不容以倡優媟狎虧汚邦典若聽政之暇苟玩耳目自當奏之後庭可也

洛水漲應詔上直言疏　宋務光

臣聞自昔后王樂聞過罔不興拒忠諫罔不亂何者樂聞過則下情通下情通則政無闕此其所以興也拒忠諫則羣議壅羣議壅

則主孤立此其所以亂也伏見明勅令文武九品已上直言極諫大哉德音其堯舜之用心禹湯之責己也臣謬參朝列浸沐聖恩敢不竭愚以副聖旨狂言抵禁幸陛下寬而宥之臣嘗讀書觀天人相與之際考休咎冥符之兆有感必通其閒甚密是以政失於此變生於彼亦猶影之象形響之赴聲動而輒隨各以類應故易曰天垂象見吉凶聖人象之竊見自夏以來水氣悖戾天下郡國多罹其災去月二十七日洛水暴漲漂損百姓謹按五行傳曰簡宗廟廢祭祀則水不潤下夫王者卽位必郊祀天地嚴配祖宗是故鬼神歆饗多獲福助自陛下光臨寶極緜歷炎涼郊廟遲留不得殷薦山川寂寞未議懷柔暴水之災殆因此發臣又按水者陰類臣妾之道陰氣盛滿則水泉迸溢加之虹蜺紛錯暑雨滯淫雖丁厥時而汨恆度亦陰盛之沴也臣恐後庭近習或有離中饋之職干外朝之政伏願深思天變杜絕其萌又自春及夏牛多病死疫氣浸淫於今未息謹按五行傳曰思之不睿時則有牛禍意者萬機之事陛下或未躬親乎昔太戊有異木生於朝伊陟戒以修德厥妖用殄高宗有飛雉雊於鼎祖已陳以政事殷道再興此皆視履考祥轉禍爲福之明鑑也晁錯曰五帝其臣不及則自親之今朝廷怪異雖則多矣然皆仰知陛下天光伏願勤思德容少凝大化以萬方爲念不以聲色爲娛以百姓爲憂不以犬馬爲樂暫勞宵旰用緝明良豈不休哉天下幸甚臣聞三王之朝不能免淫亢太平之時不能無小孽備禦之道存乎其人若細微之災恬而不怪及禍變成象駭而圖之猶水決而繕防疾困而求藥雖復僶俛亦何救哉夫災變應天實繫人事故日蝕修德月蝕修刑若乃雨暘或愆則貌言爲咎雩禜之法在於禮典今暫逢霖雨卽閉坊門棄先聖之明訓遵後來之淺術時偶中之安足神邪蓋當屛翳收津豐隆戢響之日也豈有一坊一市遂能感召星靈暫閉暫開便欲發揮神道必不然矣何其謬哉至今巷議街言共呼坊門爲宰相謂能節宣風雨燮理陰陽夫如是則赫赫師尹便爲虛設悠

悠蒼生復何所望自數年以來公私俱竭戶口減耗家無接薪之儲國無候荒之蓄陛下不出都邑近觀朝市則以為率土之既康且富及至踐閭陌視鄉亭百姓衣牛馬之衣食犬彘之食十室而九空丁壯盡於邊塞孤孀轉於溝壑猛吏淫威奮其毒暴徵急政破其資馬困斯趺人窮乃詐或起為姦盜或競為流亡從而行之良可悲也臣觀今之甿俗率多輕佻人貧而奢不息法設而偽不止長吏貪冒選舉私謁樂多繁淫器尚浮巧稼穡之人少商旅之人多誠願坦然更化以身先之端本澄源滌瑕蕩穢接彫殘之後宜緩其力役當久弊之極宜法訓敦龐良牧樹風賢宰垂化十年之外生聚方足三代之美庶幾可及臣聞太子者君之貳國之本易有其卦天有其星今古相循率由茲道陛下自登皇極未建元良非所以守器承祧養德贊業離明不可輟曜震位不可久虛伏願早擇賢能以光儲副上安社稷下慰黎元且姻戚之間謗議所集假令漢帝無私於廣國元規切讓於中書天下之人安可戶說

稽疑成患憑寵生災所謂愛之適足以害之也至如武三思等誠能輟其機務授以清閒厚祿以富其身蕃錫以獎其意家國俱泰豈不優乎夫爵賞者君之重柄傳曰惟名與器不可假人自頃爵賞頗亦乖謬大勳未滿於人聽高秩已越於朝倫貪天之功以為己力祕書監鄭普思國子祭酒葉靜能等或挾小道以登朱紫或因淺術以取銀黃既虧國經實悖天道書曰制理於未亂保邦於未危此誠理亂安危之時也伏願欽祖宗之丕烈惕王業之艱難遠佞人親有德乳保之愛妃主之家以時接見無令媟瀆凡此數者當今急務唯陛下留神採納永保康寧

文粹補遺卷第一

文粹補遺卷弟二

吳江　郭麐　纂

表奏書疏二 總九首

上貞觀政要表

吳兢

臣兢言臣愚比嘗見朝野士庶有論及國家政教者咸云若陛下之聖明克遵太宗之故事則不假遠求上古之術必致太宗之業故知天下蒼生所望於陛下者誠亦厚矣易曰聖人感人心而天下和平今聖德所感可謂深矣竊惟太宗文武皇帝之政化自曠古而來未有如此之盛者也雖唐堯虞舜夏禹殷湯周之文武漢之文景皆所不逮也至如用賢納諫之美垂代立教之規可以宏闡大猷增崇至道者並煥乎國籍作鑒來葉微臣以早居史職莫不成誦在心其有委質策名立功樹德正詞鯁義志在匡君者並隨事載錄用備勸戒撰成一帙十卷合四十篇仍以貞觀政要爲目謹隨表奉進望紆天鑒擇善而行引而伸之觸類而長之易不云乎聖人久于其道而天下化成伏願行之而有恒思之而不倦則貞觀巍巍之化可得而致矣昔殷湯不如堯舜伊尹恥之陛下儻不修祖業微臣亦恥之詩云念我皇祖陟降庭止又云無忝爾祖聿修厥德此誠欽奉祖先之義也惟陛下念之哉則萬方幸甚不勝誠懇之至謹奉表以聞謹言

進千秋節金鏡錄表　　張九齡

臣九齡言伏見千秋節日王公已下悉以金寶鏡進獻誠貴尚之尤也臣愚以謂明鏡所以鑑形者也有妍媸則見之於外往事所以鑑心者也有善惡則省之於內故黃帝鏡銘云以鏡自照見形容以人自照見吉凶又古人云前事之不遠後事之元龜亦猶鏡也伏惟開元神武皇帝陛下聖德之至動與天合本已全於道體固不假於事鑑然覆載廣大無所不包聖道沖虛有來皆應臣敢緣此義謹於生辰節上事鑑十章分爲五卷名曰千秋金鏡錄雖聞見褊淺所擇不深至於區區效愚其庶乎萬一不勝悃款之至謹言

上封事書

五月二十日宣義郎左拾遺內供奉臣張九齡謹再拜死罪死罪上書開元神武皇帝陛下臣所以上事以臣愚見並當時尤切不敢飾詞伏願陛下親覽可否之宜幸甚幸甚臣伏以陛下自克清

內難光宅天下常欲躋人於富壽致國於太平聖慮每勤德音屢發然猶黎人未息水旱爲憂臣竊伏思之有由然矣臣聞乖政之氣發爲水旱天道雖遠其應甚速昔者東海枉殺孝婦旱者久之一吏不明匹婦非命則天爲之旱以昭其冤況今六合之間元元之衆莫不懸命於縣令宅生於刺史陛下所與共理此尤親於人者也多非其任徒有其名致旱之由豈惟孝婦一事而已是以親人之任宜得其賢用才之道宜重其選而今刺史縣令除京輔近處雄望之州刺史猶擇其人縣令或備員而已其餘江淮隴蜀三河諸處除大府之外稍稍非才但於京官之中出爲州縣者或是緣身有累在職無聲用於牧宰之間以爲斥逐之地或因勢附會遂忝高班比其勢衰且無他責又謂之不稱京職亦乃出爲刺史至於武夫流外積資而得官成於經久不計於有才諸若此流盡爲刺史其餘縣令以下固不可勝言蓋甿庶所繫國家之本務本務之職反爲好進者所輕承弊之人每遭非才者所擾陛下聖化

從此不宜皆由不重親人之選以成其弊而欲天下和洽固不可得也古者刺史入爲三公郎官出宰百里莫不於其所重勸其所行臣竊怪近俗偏輕此任今朝廷卿士入而不出於其私情遂自得計何則京華之地衣冠所聚子弟之間身名所出從容附會不勞而成一出外藩有異於此人情進取豈忘於私但立法制之不敢違耳原其本意固私是欲今大利在於京職而不在於外郡如此則智能之士欲利之心日夜營營有復出爲刺史縣令而陛下國家之利方賴智能之人此輩既自固而不行在外者又技癢而求入如此則智能之輩常無親人之責陛下又未格之以法無乃甚不可乎故臣愚以爲欲理之本莫若重刺史縣令此官誠重智能者可行正宜懸以科條定其資歷凡不歷都督刺史雖有高第者不得入爲侍郎列卿不歷縣令有善政者亦不得入爲臺郎給舍郎雖遠處都督刺史至於縣令以次差降以爲出入亦不得十年頻任京職又不得十年盡任外官如此設科以救其失則內外通理萬姓獲寧如積習爲常遂其私計陛下獨宵衣旰食天下亦未之理也又古之選用賢良取其稱職或遙聞而辟召或一見而任之是以士修素行不圖僥倖羣小不逮亦用息心以故姦僞自止流品不雜今天下未必理於上古而事務日倍於前誠爲不正其本而設巧於末所謂末者吏部條章動盈千百刀筆之吏辨析豪釐節制搶攘溺於文墨胥徒之猾又緣隙而起臣以爲始造簿書以備用人之遺亡耳今反求精於案牘不急於人才亦何異遺劒中流而刻舟以紀去之彌遠可爲傷心凡有稱吏部之能者則曰從縣尉與主簿從主簿與縣丞斯選曹執文而善知官次者也惟據其合與不合不論賢與不肖大略如此豈不謬哉陛下若不以吏部尙書侍郎爲賢必不授以職事尙書侍郎既以賢而受委豈復不能知人知人之難雖自古所慎而拔十得五其道可行今則執以格條貴於謹守幸其心能自覺者每選於所拔亦有三人五人若又專固者則亦一人不拔據資配職自以爲能爲官擇

人初無此意故使時人有平配之議官曹無得賢之實朱紫同色清濁不分是於聖朝有何裨益故臣以爲選部之法弊於不變變法之易在陛下煥然行之假如今之銓衡欲自爲意亦得行之已久動必見疑遂用因循益爲浮薄今若刺史縣令精覈其人即每年當管之內應有合選之色先委考其才行堪入品流然後送臺臺又推擇據所用之多少爲州縣之殿最一則州縣愼於所舉必取入官之才二則吏部因其有成無多庸人之數縱有不在送者妄起怨端且猶分謗於外臺不至喧譁於南省今則每歲選者動以萬計京師米物爲之空虛豈多士若斯蓋渝濫至此而欲仍舊致理難於改制祇益文法煩碎賢愚渾雜就中以一詩一判定其是非適使賢人君子從此遺逸斯亦明代之闕政有識者之所歎息也夫天下雖廣朝廷雖衆而士之名實誠可知也若使毀譽相亂聽受不明事將已矣無復可說如知其賢能各有品第每一官闕而不以次用之則是知而不爲爲用彼相借如諸司清要之職當用第一之人及其要官闕時或以下等叨進以故時議無高無下惟論得與不得自然清議不立名節不修上善則守志而後時中人則躁求而易操其故何哉朝廷若以令名而進人士子亦以修名而獲利而利之所出衆則趨焉已而名利不出於清修所趣多歸於人事其小者苟求輒得一變而至阿私其大者許以分義再變而成朋黨斯並教化漸漬使之必然故于用人之際不可不第高下若高下有次不可妄干天下士流必刻意修飾思齊日衆刑政日清此皆興衰之大端焉可不察易曰履霜堅冰至言聖人之見終始之徵矣臣今所言上刺史縣令等事一皆指實縱臣所欲變法不合時宜伏望更發睿圖及詢於執事作爲長算振此積風使官修其方人受其福天下幸甚伏惟陛下聰明神武勳以聖斷正當可爲之運未行反本之法微臣企竦竊有所望伏願少留宸聰稍覽愚誠必無可施行棄之非晚不勝塵露裨補之誠

請車駕還京奏　郭子儀

臣聞雍州之地古稱天府右控隴蜀左扼崤函前有終南太華之險後有清渭濁河之固神明之奧王者所都地方數千里帶甲十餘萬兵强士勇雄視八方有利則出攻無利則入守此用武之國非諸夏所同秦漢因之卒成帝業其後或處之而泰去之而亡前史所書不唯一姓及隋氏季末煬帝南遷河洛邱墟兵戈亂起高祖倡義亦先入關惟能翦滅姦雄底定區宇以至於太宗高宗之盛中宗元宗之明多在秦川鮮居東洛閒者羯胡搆亂九服分崩河北河南盡從逆命然而先帝仗朔方之衆慶緒奔亡陛下藉西土之師朝義就戮豈惟天道助順抑亦地形使然此陛下所知非臣飾說近因吐蕃淩逼鑾駕東巡蓋以六軍之兵素非精練皆市肆屠沽之人務挂虛名苟避征賦及驅以就戰百無一堪亦有潛輸貨財因以求免又中官掩蔽庶政多荒遂令陛下振蕩不安退居陝服斯蓋關於委任失所豈可謂秦地非良者哉今道路云云不知信否咸謂陛下已有成命將幸洛都臣熟思其端未見其利

夫以東周之地久陷賊中宮室焚燒十不存一百曹荒廢曾無尺椽中閒畿內不滿千戶井邑榛棘豺狼所嘷既乏軍儲又鮮人力東至鄭汴達於徐方北自覃懷經於相土人煙斷絕千里蕭條將何以奉萬乘之牲餼供百官之次舍矧其土地狹阨纔數百里閒東有成皋南有二室險不足恃適爲戰場陛下柰何棄久安之勢從至危之策忽社稷之計生天下之心臣雖至愚竊爲陛下不取且聖旨所慮豈不以京畿新遭剽掠田野空虛恐糧食不充國用有闕以臣所見深謂不然昔衞文公小國之君諸侯之主耳遭懿公爲狄所滅始廬於曹衣大布之衣冠大帛之冠元年革車三十乘季年三百乘卒能恢復舊業享無疆之休況明明天子躬儉節用苟能黜素餐之吏去冗食之官抑豎刁易牙之權任蘧瑗史鰌之直薄征弛力卹隱逌鰥委諸相以簡賢任能付老臣以練兵禦侮則黎元自理寇盜自平中興之功旬月可冀卜年之期永無極矣願時邁順動回鑾上都再造邦家惟新庶政奉宗廟以修薦享

謁陵寢以崇孝思臣雖隕越死無所恨

謝上表　　元結

臣某言去年九月勅授道州刺史屬西戎侵軼至十二月臣始於鄂州受勅牒即日赴任臣州先被西原賊屠陷節度使已差官攝刺史兼有聞奏臣在道路待恩命者三月臣以五月二十二日到州上訖耆老見臣俯伏而泣官吏見臣已無菜色城池井邑但生荒草登高極望不見人煙嶺南數州與臣接近餘寇蟻聚尙未歸降臣見招輯流亡率勸貧弱保守城邑畬種山林冀望秋後少可全活臣愚以爲今日刺史若無武略以制暴亂若無文才以救疲弊若不清廉以身率下若不變通以救時須一州之人不叛則亂將作矣豈止一州者乎臣料今日州縣堪征税者無幾已破敗者實多百姓戀墳墓者蓋少思流亡者乃衆則刺史宜精選謹擇以委任之固不可拘限官次得之貨賄出之權門者也凡授刺史特望陛下一年問其流亡歸復幾何田疇墾闢幾何二年問畜養比初年幾倍可税比初年幾倍三年計其功過必行賞罰則人皆不敢冀望僥倖苟有所求臣實孱弱辱陛下符節陛下必當謹擇臣固宜廢歸山野供給井税臣不任懇款之至謹遣某官奉表陳謝以聞

再謝上表

臣某言某伏奉某月日勅再授臣道州刺史以某月日到州上訖臣前日在官雖百姓不至流亡而歸復者十無一二雖寇盜不犯邊鄙而不能兵救鄰州雖賦斂僅能供給而有司不無罪狀雖人吏似從敎令而風俗未能移易臣又多病不無假故水旱災沴每歲不免疾疫死傷臣州尤甚以臣自訟合抵刑憲聖朝寬貸猶宜奪官陛下過聽重有授任伏恐守廉讓者以臣爲苟安祿位抱公直者以臣爲內懷私僻有材識者辱臣於臺隸之下用刑法者罪臣於程式之中臣所以不敢即日辭免待陛下按驗虛實然後歸罪有司今四方兵革未寧賦斂未息百姓流亡轉甚官吏侵剋日

多實不合使凶庸貪猥之徒凡弱下愚之類以貨賄權勢而為州縣長官伏望陛下特加察問舉其功過必行賞罰以安蒼生誰不自私臣實不敢所言狂直朝夕待罪不任懇款之至謹遣某官奉表陳謝

直諫表　　獨孤及

臣等言伏見陛下屢發德音招延獻納使左右侍臣得直言極諫忠謇者無不聽狂訐者無不容又辛丑詔書詔裴冕崔渙等十有三人並集賢殿待制以備詢事考言之問此五帝之盛德也而臣以目覩生則幸矣然頃者陛下雖容其直而不用其言進匭上封者大抵皆事寢不報書留不下但有容諫之名竟無聽諫之實遂使諫者稍稍自引鉗口就列飽食偷安相招為祿仕此忠鯁之士所以竊歎而臣亦恥之十室之邑必有忠信如孔某者況以朝廷之大卿大夫之眾而陛下選授之精與假令不能如文王之多士堯舜之比屋其中豈不有溫故知新可使懋陳政要而億則屢中

者乎陛下唯虛存其儀令條奏不曠及議政之際曾不採其一說堯之疇咨禹之昌言豈若是耶昔堯設謗木於五達之衢孔子亦曰以能問於不能以多問於寡又曰某也幸苟有過人必知之然則多聞闕疑不恥下問聖人之心也臣不勝大願願陛下試以堯孔之心為心日降清問啟其宏議不可者罷之可者議之於朝與執事者共之使知之必言言之必行行之必公則君臣無私論朝廷無私政天下無私是陛下以此辨可否於獻替而建太平之階可也況國體乎自師興不息十年矣萬姓之生產空於杼軸擁兵者第館亘街陌奴婢厭酒肉而貧人羸餓就役剝膚及髓長安城中白晝椎剽京兆尹不敢詰加以官亂職廢將惰卒暴百揆隳刺如紛麻沸粥百姓不敢訴於有司有司不敢聞於天聽士庶茹毒飲痛窮而無告今其心禺禺獨恃於麥麥不登則易子齩骨可跂而待眠於焚薪之上豈危於此陛下不以此時軫薄冰朽索之念厲精更始思所以救之之術忍令宗廟有累卵之危萬姓悼心而

失圖臣實懼焉去歲十二月丁巳夜中星隕如雨昨者清明降霜三月苦熱寒暑氣候錯謬顛倒沴莫大焉豈陛下凌上替怨讟之氣發以取之耶不然天意之丁寧譴誡以此儆陛下宜返躬罪己旁求賢良者而師友之黜棄貪佞不肖而竊位者下哀痛之詔去天下所疾苦廢無用之官罷不急之費禁止暴兵節用愛人罔使宦官亂國政佞言敗厥度兢兢乾乾以徼福於上下必能使天誠感而神心應反祆災以爲和氣彼太戊桑穀宋景熒惑焉足爲陛下道哉臣一昨陳奏請減江淮山南等諸道兵馬以贍國用陛下初不以臣言爲愚妄許卽施行然及今竟未有沛然之詔臣竊疑之今天下唯朔方隴西有吐蕃僕固之虞邠涇鳳翔等兵足當之矣自此而往東洎海南至番禺西盡巴蜀萬里無鼠竊之盜已積歲矣而兵不爲之解傾天下之貨竭天下之穀以給不用之軍而爲無端之費臣不知其故假令居安思危用備不虞自可於阨要之地少置屯禦餘悉休之以其糧儲屝屨之資充疲人貢賦歲可減

國賦之半陛下豈遲疑於改作逡巡於舊貫使大議有所壅而率土之患日甚一日是益其弊而厚其疾也臣竊惑焉夫瘵癰者必決之使潰今兵之爲患猶癰也不以漸戢之其害滋大大而圖之必力倍而功寡豈周易不俟終日之義與伏惟圖其始而要其終天下幸甚臣無任懇款之至

代崔公授祕書監致仕謝表　　常袞

臣某言伏奉恩制授臣銀青光祿大夫祕書監仍聽致仕臣聞不修其德老當見遺無益於時祿不虛詔伏惟陛下以大聖撫運以至公宰物凡在爵秩必俟賢能況茲寵異豈及衰朽臣官歷五朝年逾八十勤勞莫效齒髮久衰舊好同游索然已盡經行郡國不見一人歡娛且少形魄如寄古之養老義在師臣必公卿大夫耆年多疾乃有詔書襃勞之寵靈壽安車之賜不然則高尙之士亦以道存非閔仲之潔清姜肱之孝行固不可猥承嘉命特授殊禮今陛下以臣之甥任在樞近階緣厚遇曲被鴻私官品過崇越於

班列疵賤忽貴枯瘁增華親戚相榮以感以溺猶復恤其羸憊貸以休閒成周禮四方之適存漢儀八月之問惠養益厚等威益尊冒恩不訾仰戴無力殘生有幾上報何階無任感戴之至

請贖還顔眞卿疏　　張薦

去正月中眞卿奉使淮西期不先戒行無素備受命之後不宿於家親黨不遑告別介副不及陳請辟僮單騎即日載馳冒姦鋒於臨汝折元惡於許下捐軀仗義威詬羣凶遂令脅制者回慮忠勇者肆情周會奮發於外韋清伺應於内希烈蒼黃窘迫奔固舊穴蓋眞卿義風所激也眞卿逮事四朝爲國元老忠直孝友羽儀王室行年八十被羸老之疾拘囚環堵之間顧眄鉤戟之下呼嗟憤恚失寢忘食不知悲翁何以堪此伏聞希烈之母鍾念幼子日不絕泣求責希烈又希烈妻祖母郭及妻妹封並逮捕京師此三人留之無益請置境上以贖眞卿先降詔書分明諭告且希烈知眞卿人望不敢加害既無嫌隙但因循未遣耳若歸其親愛賊亦何

惜還一使哉臣又聞眞卿所遺兒子峴及家僮從官奉表來者五輩皆留中其子頵等拳拳實希一見望許休沐告以安否

文粹補遺卷第二

文粹補遺卷弟三

吳江　郭麐　纂

表奏書疏三 總八首

奉天論奏當今所切務狀　陸贄

隱朝昨日奉宣聖旨逆賊雖退猶未收城令臣審思當今所務何者最切具條錄奏來者伏以初經大變海內震驚無論順逆賢愚

必皆企竦觀聽陛下一言失則四方解體一事當則萬姓屬心動關安危不可不愼臣謂當今急務在於審察羣情若羣情之所甚欲者陛下先行之羣情之所甚惡者陛下先去之欲惡與天下同而天下不歸者自古及今未之有也夫理亂之本繫於人心況乎當變故動搖之時在危疑向背之際人之所歸則植人之所去則傾陛下安可不審察羣情同其欲惡使億兆歸趣以靖邦家乎此誠當今之所急也然倘恐爲之不易者葢以朝廷播越王命未行施之空言人或不信何以言其然今天下之所欲者在息兵在安業天下之所惡者在斂重在法苛陛下欲息兵則寇孽猶存兵固不可息矣欲安業則征繇未罷業固未可安矣欲薄斂則郡縣懼乏軍用令必不從矣欲去苛則行在素霽威嚴言且無驗矣此皆勢有所未制意有所未從雖施於德音足慰來蘇之望而稽諸事實未符悔禍之誠且動人以言者其感不深動人以行者其應必速葢以言因事而易發行違欲而難成易發故有所未孚難成故

無思不服今陛下將欲平禍亂拯阽危恤烝黎安反側既未有息人之實又乏於施惠之資唯當遵欲以行己所難布誠以除人所病乃可以彰追咎之意副惟新之言若猶不然未見其可頃者竊聞輿議頗究羣情四方則患於中外意乖百辟又患於君臣道隔郡國之志不達於朝廷朝廷之誠不升於軒陛上澤闕於下布下情壅於上聞實事不必知知事不必實上下否隔於其際眞僞雜糅於其間聚怨囂囂騰謗藉藉欲無疑阻其可得乎物論則然人心可見蓋謂含宏聽納是聖主之所難鬱抑猜嫌是衆情之所病伏惟陛下神無滯用鑒必窮微愈其病而易其難如淬鋒潰疣決防注水耳可以崇德美可以濟艱難陛下何慮不行而宜爲此懔懔也臣謂宜因文武羣官入參之日陛下特加延接親與叙言備詢禍亂之由明示咎悔之意各使極言得失仍令一一面陳軍務之際到即引對不拘時限用表憂勤周公勤握髮吐餐而天下歸心則此義也又當假之優禮悅以溫顏言切而理愜者必賞導以

盡其情識寡而辭拙者亦容恕以嘉其意有諫諍無隱者願陛下叶成湯改過之美褒其直而勿吝其非有謀猷可用者願陛下體大禹拜言之誠奬其能而亟行其策至於匹夫片善采錄不遺庶士傳言聽納無倦是乃總天下之智以助聰明順天下之心以施敎令則君臣同志何有不從遠邇歸心孰與爲亂化疑梗爲訢合易怨謗爲謳歌浹辰之閒可使丕變陛下儻行之不厭用之得中從義如轉圜進善如不及推廣此道足致和平其於昭德塞違恐不止當今所急也慮有愚而近道事有要而似迂冀垂睿思反覆詳覽必或無足觀採捨棄非遥謹奏

奉天論李晟新管兵馬狀

右賊泚稽誅保聚宮苑勢窮援絕引日偷生懷光總仗順之師乘制勝之氣鼓行芟翦易若摧枯而乃寇奔不追師老不用諸帥每欲進取懷光輒沮其謀據茲事情殊不可解陛下意在全護委曲聽從觀其所爲亦未知感若不別務規略漸相制持唯以姑息求

安終恐變故難測此誠事機危迫之秋也固不可以尋常容易處之今李晟奏請移軍適遇臣銜命宣慰懷光偶論此事臣遂訊問所宜懷光乃云李晟既欲別行某亦都不要藉臣猶慮有翻覆因美其軍盛强懷光大自矜誇轉有輕晟之意臣又從容問云昨發行在之日未知有此商量今者從此卻迴或恐聖旨顧問事之可否決定何如懷光已肆輕言不可中變遂云恩命許去事亦無妨要約再三非不詳審雖欲追悔固難爲辭伏望卽以李晟表出付中書敕下依奏別賜懷光手詔示以移軍事由其手詔之大意云昨得李晟奏請移軍城東以分賊勢朕緣未知利害本欲委卿商量適會陸贄從彼宣慰迴奏云見卿論敘軍情語及於此仍言許去事亦無妨遂敕本軍允其所請卿宜授以謀略分路夾攻務使叶齊剋平寇孽如此則詞婉而直理順而明雖蓄異端何由起怨臣初奉使諭旨本緣糧賜不均偶屬移軍事相諧會又幸懷光詭對且無阻絶之言機宜合并若有幽贊一失其便後悔何追伏望

聖聽速垂裁斷謹奏

興元論續從賊中赴行在官等狀

右欽溆奉宣聖旨近日往往有卑官從山北來皆稱自京城偷路奔赴行在大都此輩多非良善有一邪建論說賊中體勢語最張皇察其事情頗是窺覘今且令留在一處安置如此之類更有數人若不根尋恐有姦計卿宜商量如何穩便者臣伏以任總百揆者與一職之守不同富有萬國者與百揆之體復異蓋尊領其要卑主其詳尊尚恢宏卑務近細是以練覈小事糾察微姦此有司之守也維御萬樞選建庶長總綱而衆目咸舉明邇而羣方自通此大臣之任也愚智兼納洪纖靡遺蓋之如天容之如地垂旒黈纊而黜其聰察匿瑕藏疾而務於包含不示威而人畏之如雷霆不用明而人仰之如日月此天子之德也以卑而潛用尊道則職廢於下以尊而降代卑職則德喪於上職廢則事不舉德喪則人不歸事不舉者弊雖切而患輕人不歸者釁似微而禍重兹道得

失所關興亡聖王知宇宙之大不可以耳目周故清其無爲之心而觀物之自爲也知億兆之多不可以智力勝故壹其至誠之意而感人之不誠也異於是者乃以一人之聽覽而欲窮宇宙之變態以一人之防慮而欲勝億兆之姦欺役智彌精失道彌遠故宣尼述陶唐之盛曰惟天爲大惟堯則之周詩美文王之德曰不識不知順帝之則是皆覆育萬物渾然大同無好無惡不忌不克之謂也項籍納秦降卒二十萬慮其懷詐復叛一舉而盡坑之其於防虞亦已甚矣漢高豁達大度天下之士至者納用不疑其於備慮可謂疏矣然而項氏以滅劉氏以昌蓄疑之與推誠其效固不同也秦皇嚴衛雄猜而荆軻奮其陰計光武寬容博厚而馬援輸其款誠豈不以虛懷待人人亦思附任數御物物終不親情思附則感而悅之雖寇讎化爲心膂有矣意不親則懼而阻之雖骨肉結爲仇慝有矣臣故曰茲道得失所關興亡伏惟陛下睿哲文思光被四表孝友勤儉行高百王然猶化未大同俗未至理者良以智出庶物有輕待人臣之心思周萬幾有獨馭區寓之意謀吞衆略有過慎之防明照羣情有先事之察嚴束百辟有任刑致理之規威制四方有以力勝殘之志由是才能者怨於不任忠藎者憂於見疑著勳業者懼於不容懷反側者迫於攻討馴致離叛構成禍災兵連於外變起於內歲律未半乘輿再遷國家艱屯古未嘗有以陛下至聖之德而遘茲殷憂之期天其或者欲大啓睿心儆小失而崇丕業耳臣謂陛下當奉若天意追咎已然凡所致寇之由悉已詳知其故將革前弊以消羣疑今承德音尚襲流誤若未悔禍何由弭災臣獲蒙過知又辱下問若務順旨是爲欺天庸敢指陳庶裨闕漏往歲初奮師旅四征不庭義烈之徒人思自效捨逆歸款者繼獻於闕下陳謀諫失者爭詣於禁門陛下能於此時乘軍氣之方雄因人心之願盡輟沐吐哺虛襟坦懷海納風行不疑不滯功者報之義者旌之直者奬之才者任之其或有志而無補於時敢言而不當其理亦必恕其妄作錄其善心率皆優容以

禮進退如此則海內風靡翕然歸心賢愚咸懷大小畢力蕞爾凶醜曾何足平臣固知久已理安必無奉天之幸矣其所以孕禍胎而索義氣者在乎獨斷宸慮專任睿明降附者意其窺覦輸誠者謂其遊說論官軍撓敗者猜其挾姦毀沮陳凶黨強狡者疑其爲賊張皇獻計者防其漏言進諫者憚其宣謗凡此之類悉貽聖憂咸使拘留謂之安置或詰責而置於客省或勞慰而延於紫庭雖呵獎頗異其辭然於圈閑一也既杜出入勢同狴牢解釋無期死生莫測守護且峻家私不通一遭縶維動歷年歲想其痛憤何可勝言由是歸化漸希而上封殆絕矣徇義之心既阻脅從之黨彌堅而貴近之臣往來之使希望風旨詭辭取容唯揣樂聞不憂失實咸言聖謀深遠策略如神小寇孤危滅亡無日陛下急於誅惡皆謂其事信然窮兵竭財坐待平一人心轉潰寇亂愈滋遂至轂下生戎宮闈不守儻陛下能於此際遽敷大號謝過萬方敘忠良見忌之冤而舉其尤鯁亮者加之厚秩糾阿諛不實之罪而數其極姦妄者處之大刑賞罰既明忠邪畢辨以此臨下誰敢不誠以此懷人何有不服過而能改亂亦遄安臣固知尋復京師必無梁岷之遊矣陛下既闕慎於始又失圖於中收之西隅唯在茲日豈可復使一事紕繆一言過差哉今賊泚未平懷光繼叛都邑城闕猰貐迭居關輔郊畿豺狼雜處朝廷僻介於遠郡道路緣歷於連山杖策從君其能有幾推心降接猶恐未多稍不禮焉固不來矣若又就加猜刻且復囚拘使反者得辭來者懷懼則天下有心之士安敢復言忠義哉卵胎不傷麟鳳方至魚鼈咸若黿龍乃遊蓋悅近者來遠之資懷小者致大之術也竊料邪建等輩必非助逆之徒假如過有張皇跡涉疑似亦望矜愚惜體屈法裕人並量器能隨事甄貸武者措之於戎伍文者付之於宰司大則授以職員次但優其選序必有須離行在難處親軍則或除諸道一官或委諸使錄用就其常分各稍加恩古人有言撫我則后虐我則讎惠澤所及謳歌乃歸流聞四方孰不欣戴昔趙殺鳴犢聖人輟行燕

選所及謳歌乃歸流聞四方孰不欣戴昔趙殺鳴犢聖人輟行燕
諸使錄用就其常分各精加恩古人有言撫我則后虐我則讎惠
次但憂甄其選序必有須離行任難處親軍則或除諸道一官或委
[illegible]付之於宰司大則授以職員
[illegible]
[illegible]
[illegible]
[illegible]
[illegible]
[illegible]
[illegible]
[illegible]而能改亂亦謐安臣固知尋復京師必無[illegible]
[illegible]賞罰既明忠邪畢辨以此臨下誰敢不[illegible]

見忌之家而舉其尤觸亮者加之厚秩料阿諛不實之罪而數其
下全戎宮闈不守黷陛下能於此際遽敷大號謝過萬方敘忠貞
[illegible]則坐待[illegible]
[illegible]略如神希望風旨詭辭取容唯揣[illegible]
[illegible]
[illegible]
[illegible]
[illegible]
[illegible]
[illegible]
[illegible]
[illegible]
[illegible]已理安必無奉天之幸矣其所以[illegible]
禮進退如此則海內風靡會然歸心賢愚咸懷大小畢力[illegible]

尊郭隗賢士繼往況乎天子所存天下式贍一言阻物則天下莫不自疑一事恤人則天下莫不同悅固不可以小失爲無損而不悔亦不可以小善爲無益而不行小猶慎之矧又非小願陛下惟事無大小皆以覆車之轍爲戒實宗社無疆之休謹奏

代國子陸博士進集注春秋表　呂溫

臣某言臣聞惟睿作聖觀乎人文達則化成窮則垂訓先師所以祖述堯舜志在春秋懸衡百王撥亂三季正大當之本清至公之源通羣方以誠貞天下於一動無不順道德之要機斷無不齊帝王之利器而梁木既壞生知蓋寡三傳得失索隱未周羣儒異同致遠皆泥沒微言於滋蔓亡要旨於多岐奧室不開漫逾千祀天其或者將有俟焉伏惟陛下德合乾坤明並日月氣和物茂遠至邇安欲以人情爲田講學而耨鎮定皇極耀光時雍道之將行實在今日臣不揣蒙陋斐然有志思窺聖奧仰奉文明以故潤州丹陽縣主簿臣啖助爲嚴師以故洋州刺史臣趙匡爲益友考左氏之疏密辨公穀之善否務去異端用明本意助或未盡敢讓當仁匡有可行亦刈其楚輒集注春秋經文勒成十卷上下千載研覃三紀元首雖白濁河已清微臣何幸與道偕遇竊以德之匪鄰骨肉無應道苟訢合古今相知然則堯舜之心非宣尼不見宣尼之志非陛下不行庶因儀鳳之辰永洗獲麟之恨臣官忝國學思非出位以爲家寶罪實欺天謹昧死寫前件書詣東上閤門奉進伏候聖旨輕黷宸嚴魂爽飛越無任云云

淮西招討事宜狀　權德輿

右自去歲出師今已周月軍威未振寇孽猶虞中外臣庶實同憤切臣伏思之以王命討不庭以半天下師臨區區淮西之地況申光褊小惟有蔡州以宗社威靈睿謀上略所宜朝出令而夕獻捷乘城授首指顧可期今勝負之間猶未相直師老財殫勞而無功者何哉蓋有以也以寇之乘亂專地已十五年財征不至於有司杼軸難資於軍實而又峻威令同豐約獸窮則搏人自爲戰此皆

必死之衆也以全義之忠朴果決固思報恩而馭衆伐謀力或不足況山東士旅驕悍且久苟非威望素重者豈能制之又諸侯之師頭會烏合或幸災養寇或緜力濟材勝既衆分其勞敗又無所歸罪其心不一姑務自安此非成功之人也臣以爲徵師太廣命將太輕輕則無功廣則難制議者或曰統帥之名不重則策勳之時其賞易足偏師之任不一則勞旋之際其功自分且以希烈襄陽爲之懲創此乃知其一而不知其二也成功之後在法制鈐鍵之而已豈可早計過慮使陷於必不成功哉自古以兵多而敗者非一以近事則乾元鄴城之圍大麻魏州之討非師不衆也今因其數道會師可以精擇將帥武略威重爲聖心所知羣情所伏者其餘方面二千石與汝鄧之地環寇四境度其不能者速易之兩河遠地之師未能制其死命者悉罷去之但以便地勁兵練其可用者誓以賞罰使之犄角設備於要害同心以進取程其力用如臂使指此決勝之道也其次則嚴戒慎固勿與爭鋒來則遏其驅

侵去則保茲經界使士皆賈勇終不妄動有虜獲者悉釋而歸之耀以武力浹之恩信既無饋運之費又無殺伐之傷彼竭我盈可以歲月待其斃也倘以其未有出境之暴且開請罪之詞下詔班師曠然全宥雖根本未靖且罷戰息人又其次也若止如今者二十餘軍禁令不一以懷歸之衆無效命之心望其成功亦已難矣伏惟陛下留念

論河北三鎮及淮西事宜狀　李絳

羣臣見陛下西取蜀東取吳易於反掌故諂諛躁競之人爭獻策畫勸開河北不爲國家深謀遠慮陛下亦以前日成功之易而信其言臣等夙夜思之河北之勢與二方異何則西川浙西皆非反側之地其四鄰皆國家臂指之臣劉闢李錡獨生狂謀其徒皆莫之與闢錡徒以貨財啗之大軍一臨則渙然離耳故臣等當時亦勸陛下誅之以其萬全故也成德則不然內則膠固歲深外則蔓連勢廣其將士百姓懷其累代煦嫗之恩不知君臣逆順之理諭

之不從威之不服將爲朝廷羞又鄰道平居或相猜恨及聞代易必合爲一心葢各爲子孫之謀亦慮他日及此故也萬一餘道或相表裏兵連禍結財盡力竭西戎北狄乘閒窺窬其爲憂患可勝道哉濟季安與承宗事體不殊若物故之際有閒可乘當臨事圖之於今用兵則恐未可太平之業非朝夕可致願陛下審處之且以吳少誠病必不起淮西四旁皆國家州縣不與賊通朝廷命帥今正其時萬一不從可議征討故臣願捨恒冀難致之策就申蔡易成之謀脫或恒冀連兵事未如意蔡州有釁勢可興師復以財力不贍而赦承宗則恩威兩廢不如早賜處分

請罷知政事疏　　裴度

臣昨於延英陳乞伏奉聖旨未遂愚衷切以上古明王聖帝致理興化雖繇元首亦在股肱所以述堯舜之道則言稷契皋夔紀太宗元宗之德則言房杜姚宋自古至今未有不任輔弼而能獨理天下者況今天下異於十年以前方馭駕文武廓清寇亂建昇平

之業十已得八九然華夏安否係於朝廷朝廷輕重在於宰相如臣駑鈍夙夜戰兢常以爲上有聖君下無賢臣不能增日月之明廣天地之德遂使每事皆勞聖心所以平賊安人費力如此實繇臣輩不稱所職方期陛下博採物議旁求人望致之於輔弼責之以化成而乃忽取微人列於重地始則殿庭班列相與驚駭旋則街衢市肆相與笑呼伏計遠近流聞與京師無異何者天子如堂宰臣如陛陛高則堂高陛卑則堂不得高矣宰臣失人則天子不得尊矣伏以陛下叡哲文明惟天所授凡所閱視洞達無遺所以比來選任宰相縱道不周物才不濟時公望所歸皆有可取況皇甫鎛自掌財賦以苛爲察以刻爲明自京北京西城鎮及百司并遠近州府應是仰給度支之處無不苦口切齒願食其肉猶賴臣等每加勸誡或爲奏論庶事之中抑令通濟比者淮西諸軍糧料所破五成錢其實祇與一成兩成士卒怨怒皆欲離叛臣到行營方且慰諭慮其遷延不進供軍漸難但能前行必有優賞以此約

定然後切勒供軍官且支九月一□兩成已上錢俱各努力方將小安不然必有潰散今舊兵悉向淄青討伐忽聞此人入相則必相與驚憂以爲更有前時之事則無告訴之處雖侵刻不少然漏落亦多所以罷兵之後經費錢一千三十萬貫此事猶可直以性惟狡詐言不誠實朝三暮四天下共知唯能上惑聖聽足見奸邪之極程异雖人品凡俗然心事和平處之煩劇或亦得力但昇之相位使在公卿之上實亦非宜如皇甫鎛天下之人怨入骨髓陛下今日收爲股肱列在台鼎切恐不可伏惟圖之儻陛下納臣懇款速賜移易以副天下之望則天下幸甚伏聞李修疾病亦求入來如浙西觀察使且與亦得臣知言一出口必犯天威但使言行甘心獲戾今者臣若不退天下之人謂臣不識廉恥臣若不言天下之人謂臣有負恩寵今退既未許言又不聽如火燒心若箭攢體臣自無惜惜陛下今日事勢何者淮西蕩定河北底寧承宗斂手削地程權束身赴闕韓宏輿疾討賊此豈京師氣力能制其命

祇是朝廷處置能服其心今既繼開中興再造區夏陛下何忍卻自破除使億萬之衆離心四方諸侯解體凡百君子皆欲慟哭況陛下任臣之意豈比常人臣事陛下之心敢同衆士所以昧死重封以聞如不足觀臣當引頸受責陛下引一市肆商徒與臣同列在臣亦有何損陛下實有所傷不勝憤懣惶恐之至

百官行狀奏　李翺

右臣等無能謬得秉筆史館以記注爲職夫勸善懲惡正言直筆記聖朝功德述忠臣賢士事業載姦臣佞人醜行以傳無窮者史官之任也伏以陛下即位十五年矣乃元年平夏州二年平蜀斬闢三年平江東斬錡張茂昭遂得易定五年擒史憲誠得澤潞邢洛七年田宏正以魏博六州來受常貢十二年平淮西斬元濟十三年王承宗獻德棣入稅租滄景除吏部十四年平淄青斬師道得十二州神斷武功自古中興之君莫有及者而自元和以來未著實錄盛德大功史氏未紀忠臣賢士名德甚有可爲法者逆臣

賊人醜行亦有可爲誡者史氏皆闕而未書臣實懼焉故不自量輒欲勉強而修之凡人之事迹非大善大惡則衆人無由知之故舊例皆訪問於人又取行狀謚議以爲一據今之作行狀者非其門生即其故吏莫不虛加仁義禮智妄言忠肅惠和或言盛德大業遠而逾光或云直道正言歿而不朽曾不直敘其事故善惡混然不可明至如許敬宗李義府李林甫國朝之姦臣也其使門生故吏作行狀既不指其事實虛稱道忠信以加之則可以移之於房元齡魏徵裴炎徐有功矣此不惟其處心不實苟欲虛美於所受恩之地而已蓋亦爲文者又非游夏遷雄之列務於華而忘其實溺於辭而棄其理故爲文則失六經之古風記事則非史遷之實録不如此則辭句鄙陋不能自成其文矣由是事失其本文害於理而行狀不足以取信若使指事書實不飾虛言則必有人知其眞僞不然者縱使門生故吏爲之亦不可以謬作德善之事而加之矣臣今請作行狀者不要虛說仁義禮智忠肅惠和盛德大業正言直道蕪穢簡冊不可取信但指事說實直載其詞則善惡功跡皆據事足以自見矣假令傳魏徵但記其諫爭之詞足以爲正直矣如傳段秀實但記其倒用司農寺印以追逆兵又以象笏擊朱泚自足以爲忠烈矣今之爲行狀者都不指其事率以虛詞稱之故無魏徵之諫爭而加之以正直無秀實之義勇而加之以忠烈者皆是也其何足以爲據若考功視行狀之不依此者不得受依此者乃下太常并牒史館太常定謚牒送史館則行狀之言縱未可一一皆信其與虛加妄言都無事實者猶山澤高下之不同也史氏記録須得本末苟憑往例皆是空言則使史館何以爲據伏乞下臣此奏使考功守行善惡之詞雖故吏門生亦不能虛作而加之矣臣等要知事實輒敢陳論輕黷天威無任戰越謹奏

文粹補遺卷第三

文粹補遺卷弟四

吳江　郭麐　纂

表奏書疏四　總九首

錢貨議狀　元稹

奉進止當今百姓之困眾情所知減稅則國用不充欲依舊則人困轉甚皆由貨輕錢重徵稅暗加宜令百寮各陳意見以革其弊

右閏正月十七日宰相奉宣進止如前者臣以為當今百姓之困其弊數十不獨在於錢貨徵稅之謂也既聖問言之又以為黎庶之重困不在於賦稅之暗加患在於剝奪之不已錢貨之輕重不在於議論之不當患在於法令之不行今天下賦稅一法也厚薄一概也然而廉能莅之則生息貪愚莅之則敗傷蓋得人則理之明驗也豈徵稅暗加之謂乎自嶺已南以金銀為貨幣自巴已外以鹽帛為交易黔巫溪峽大抵用水銀硃砂繒帛巾帽以相市然而前人以之理後人以之擾東郡以之耗西郡以之羸又得人則理之明驗也豈錢重貨輕之謂乎自國家置兩稅以來天下之財限為三品一曰上供二曰留使三曰留州皆量出以為入定額以給資然而節將有進獻以市國恩者有賂遺以買私名者有藏繈滯帛以貽子孫者有高樓廣榭以熾第宅者彼之俸入有常也公

私有分也此何從而得之又國家置度支轉運以來一則管鹽以易貨一則受財以輕費近制有年進月進之名有正至三節之獻彼之管鹽有常也受財有數也此又何從而得之且百姓國家之百姓也貨財國家之貨財也不足則取之有餘則捨之在我而已又何必授之重柄假之利權徇彼之微恩成我之怨府哉今陛下初臨億兆首問羣寮誠能禁藩鎮大臣不時之獻罷度支轉運別進之名絕賂遺之私節侈靡之俗峻風憲之舉深贓罪之刑精覈考課之條慎選字人之長若此則不減稅而人安不改法而人理矣至於古今言錢幣之輕重者熟矣或更大錢或放私鑄或龜或貝或皮或刀或禁埋藏或禁銷燬或禁器用或禁滯積皆可以救一時之弊也然而或損或益者蓋法有行不行之謂也臣不敢遠徵古證竊見元和以來初有公私器用禁銅之令次有交易錢帛兼行之法近有積錢不得過數之限每更守尹則必有用錢不得加除之牓然而銅器備列於公私錢帛不兼於賣鬻積錢不出於牆垣欺濫遍行於市井亦未聞鞭一夫黜一吏賞一告訐壞一蓄藏豈法不便於時耶蓋行之不至也陛下誠能採古今救弊之方施賞罰必行之令則聖祖仁宗之法制何限前賢後智之議論何窮豈待愚臣盜竊古人之見自稱革弊之術哉謹錄奏聞伏聽敕旨

論裴延齡第二表

臣某言聞者陛下親授臣以直言之詔又命臣以言責之官奉職以來未嘗忘死誓將忠懇上答鎔造竊以裴延齡虧損聖德瀆亂典章逞其心欲以螫毒黎元恣其苛刻以動搖邊鄙弄陛下爵位以公授私人盜陛下威權以誘脅忠善賢愚注耳朝野同辭臣固不敢飾其繁文再擾聰明所以晝夜感憤不能自寧者以陛下執刑賞之柄不僭在人延齡狡詐公行曾不爲念伏見去年十二月五日敕度支討管李玘配流播州張勛配流崖州仍各決六十斯則延齡自決怒心曲遂其狀陛下聽之以誠謂爲當舉峻其所罰

用直羣司罪名及加寃聲大振陛下深鑒其事詔命中留曾不旬朝馳聞海內使遠方之人疑陛下明有所壅令無必行姦以陷君執任其咎儻二人獨決延齡之手死不得言化理之失豈不重乎陛下常以登聞之鼓置之於庭必欲人情纖微不滯於外比來或事繫度支銜寃上訴皆不即驗問盡付延齡縲囚衣冠攘奪孤賤身不足償其怨家無以應其求怨痛內緘誰與爲理矰繳盈路動而見拘咫尺天門不敢控訴延齡之威益熾疲人之苦日深陛下以延齡爲賢言者皆妄不若明白其罪昭示萬方使延齡無辜辨之何害儻凶惡滋蔓鬱於人心決之不時所傷豈細臣實寒心銷肉用是爲憂伏惟俯鑒衆情召臣問狀有一非據罪在面欺臣不勝迫切之至

論魏徵舊宅狀　白居易

右今日守謙宣令撰與師道詔所請收贖魏徵宅還與其子甚合朕心允依來奏者臣伏以魏徵是太宗朝宰相盡忠輔佐以致太平在於子孫合加優卹今緣子孫窮賤舊宅典賣與人師道請出私財收贖却還其後嗣事關激勸合出朝廷師道何人輒掠此美依宜便許臣知非宜況魏徵宅內舊堂本是宮中小殿太宗特賜以表殊恩既又與諸家不同尤不宜使師道與贖計其典賣其價非多伏望明敕有司特以官錢收贖使還後嗣以勸忠臣則事出皇恩美歸聖德臣苟有所見不敢不陳其與師道詔未敢依宣便撰伏待聖旨謹具奏聞謹奏

論大和五年八月將故維州城歸降準詔却執送本蕃就僇人吐蕃城副使悉怛謀狀　李德裕

右臣頃蒙先朝授劍南西川節度使其悉怛謀雖是吐蕃酋長久樂皇風將彼堅城降臣當道臣差行維州刺史虞臧儉便領兵馬入據其城飛章以聞先帝驚喜其時與臣仇者望風疾臣遽興疑言上罔宸聽以爲與吐蕃盟約不可背之必恐將此爲詞侵犯郊境遂詔臣却還此城兼執送悉怛謀等令彼自僇復降中使迫促

送還昔白起殺降終於杜郵致禍陳湯見桉是爲郅支報仇感歎前事愧心終日今者幸逢英主忝被台司輒敢追論伏希省察且維州據高山絕頂三面臨江在戎虜平州之衝是漢地入邊之路初河隴盡沒惟此州獨存吐蕃潛將婦人嫁與此州門者二十年後兩男長成竊開壘門引兵而入遂爲所滅號曰無憂城從此得併力於西邊更無虞於南路憑陵近甸旰食累朝貞元中韋皋以經略河湟此城爲始盡銳萬旅急攻數年吐蕃愛惜既甚遣其舅論莽熱來救雉堞高峻臨衝難及於層霄鳥徑屈蟠猛士多糜於礨石莫展公輸之巧空擒莽熱而還及南蠻負恩掃地驅劫臣初到西蜀衆心未安外揚國威中緝邊備其維州熟臣信令乃送款與臣臣告之以須俟奏報冀探情僞其悉怛謀等尋帥城兵幷州印甲仗塞途相繼空壘來降臣即大出牙兵受其降禮南蠻在列莫敢仰視況西山八國隔在此州比帶使名都成虛語諸羌久苦蕃中徵役願作王人自維州降後皆云但得臣信牒帽子便相率

內屬其蕃界合水棲雞等城既失險阻自須抽歸可減八處鎮兵坐收千餘里舊地臣見此有莫大之利爲恢復之機所以面許奏聞各加酬賞臣自與錦袍金帶馬俟朝旨且吐蕃維州未降以前一年猶圍逼魯州以此言之豈守盟約況臣未嘗用兵攻取彼自感化來降又沮議之人豈思事實犬戎遲鈍士曠人稀每欲乘秋犯邊皆須數歲聚食臣得維州逾月未有一使入疆自此之後方應破膽豈有慮其復怨鼓此浮詞臣受降之初指天爲誓寧忍將三百餘人性命棄信偷安累表陳論乞垂矜舍答詔嚴切竟令執還加以體被三木輿於竹畚及將即路寃叫呼天將吏對臣無不隕涕其部送者更遭蕃帥譏誚云既以降彼何須送來乃却將此降人戮於漢界之上恣行殘忍用固攜離至乃擲其嬰孩承以槍槊臣聞楚靈誘殺蠻子春秋明譏周文收送鄧叔簡冊深鄙況乎大國負此異族塞忠款之路快凶虐之情從古以來未有此事伏惟仁聖文武至誠大孝皇帝陛下振睿聖之宏圖得懷徠之上策

故南蠻申請朝之願北虜效欵塞之誠臣實痛惜悉怛謀等舉城向化解辮歸義而未加昆邪之爵不賞庶其之功翻以忠愛受屠爲仇讎所快身遭此酷名又不彰職由愚臣陷此非罪雖時更一紀而運屬千年所以具陳根本不憚繁細冀蒙睿鑒追奬忠魂伏乞宣付中書各加褒贈冀華夷感德幽顯伸冤誓旣往之倖心激將來之峻節臣無任懇願之至

乞旌劉蕡直言疏　李郃

陛下御正殿求直言使人得自奮臣才智懦劣不能質古今是非使陛下聞未聞之言行未行之事忽忽内思愧羞神明今蕡所對敢空臆盡言至皇王之成敗陛下所防閑時政之安危不私所料又引春秋爲據漢魏以來無與蕡比有司以言涉訐忤不敢聞自詔書下萬口藉藉歎其誠鯁至於垂泣謂蕡指切左右畏近臣銜怨變興非常朝野惴息誠恐忠良道窮綱紀遂絶季漢之亂復興於今以陛下仁聖近臣故無害忠良之謀以宗廟威嚴直臣故無速敗亡之禍指事取驗何懼直言且陛下以直言召天下士蕡以直言副陛下所問雖訐必容雖過當奬壽於史策千古光明使萬有一蕡不幸死天下必曰陛下陰殺讜直結讎海内忠義之士皆憚誅夷人心一搖無以自解況臣所對不及蕡遠甚内懷愧恥自謂賢良奈人言何乞回臣所授以旌蕡直臣逃苟且之慙朝有公正之路陛下免天下之疑顧不美哉

代河湟父老奏　陳黯

臣等世籍漢民也雖地没戎虜而常蓄歸心時未可謀則俛僶偷生旣遭休運詎可緘默伏思中國之患邊戎其來久矣唐虞夏殷之前則滄風未漓夷夏自判故干戈不興事亦宜矣繇周以降或侵或伐無代無之然則享國長久君臣有謀唯是其餘不足徵也周漢討邊之事臣知之矣請較而論之以爲國朝比且周之伐獫狁也以斥逐爲心不常事之故進則遄征退則息兵致其邊鄙無備壁壘不營此乃周之謀失於不固矣漢之討匈奴也乘時之豐

恃兵之雄深入窮荒莫計遠邇故雪山青海皆爲內封其後財匱力殫厥功不就遂交和親之好自浼帝屬延法後時斯爲漢之謀失於太廣矣唐有天下邁於周漢之道一家其六合一心其兆人唯玆犬戎未能無患當開元中有將臣善於攻戰振張皇威殲殄醜虜自秦地而西有地數千里此則展拓周疆剪截漢域所謂廣袤得其中矣其後國家以內寇時起不遑西顧其番戎伺隙侵掠邊州臣等由此家爲虜有然雖力不支而心不離故居河湟閒世相爲訓今尙傳留漢之冠裳每歲時祭享則必服之示不忘漢儀亦猶越翼胡蹏有巢嘶之異噫其怨慕也有是陛下新統寰區以慈仁化育聞之得不惻然而軫念乎夫事有可行勢有必剋苟懈而不爲是失古人見幾之義今國家無事三方底寧獨取邊陲猶反掌耳矧故老之心觖望復然儻大兵一臨孰不向化今陛下采臣之言則先選良將不以前負勳業者與更授節制者爲之何者彼功崇矣彼位極矣復將悉營之哉以此臨事必多自顧願陛下詔班行之中器識有殊籌畫可用者踰一資一級授鉞將兵俟見功庸而後加之爵賞必能摧凶破敵無所愛矣戎翟者亦天地閒之一氣耳不可盡滅可以斥逐之伊周漢之事如前所陳今之所取願於國朝已來所沒秦渭之西故地朗畫疆域牢爲備禦然後闢邊田飽士卒可以爲永遠之謀迥出周漢之右則臣得棄戎郎華世世子孫無流離之苦生死幸甚

請褒贈劉蕡疏　羅袞

右臣袞伏以典禮褒榮用廣哲王之道生死抱痛可念直臣之魂伏以陛下再闡皇圖初平內患善無殁而不紀惡無存而不誅事或有遺臣敢不奏竊見故祕書郎責授柳州司戶臣劉蕡當大和年對直言策是時宦官方熾朝政已侵人誰敢言蕡獨能指抑隳雨迴天之勢欲使當門奪官卿爵士之權將令擁篲遂遭退黜實負冤欺其後竟陷侵誣終罹譴逐沈淪絕世六十餘年正士爲之吞聲義夫爲之飲泣當時排先見之說後代襲蔽聰之謀寖成其

風以至前歲東內幽辱西州播遷旒綴竿而未危矢及屋而非亂伏賴陛下德勝妖孽義感勳賢克返鹿鑾再安寶位向使賛策得用賛才得施則杜漸防萌尋消逆節豈殷憂多難遠及聖躬以此追維誠堪軫悼當氛霧蔽虧之日雖累朝明聖其柰賛何及天地廓清之辰則冥寞幽寃必有望於陛下矣特乞宜付中書門下顯加褒贈仍敕天下州府求賛子孫振拔錄用不獨慰耀九泉之骨庶亦感勵四海之心冒瀆宸嚴臣衮無任戰懼殞越之至

論宦官不必盡誅　韓偓

東內之變敕使誰非同惡處之當在正旦今已失其時矣臣見陛下詔書云自劉季述等四家之外其餘一無所問夫人主所重莫大於信既下此詔則守之宜堅若復戮一人則人人懼死矣然後來所去者已爲不少此其所以凶凶不安也陛下不若擇其尤無良者數人明示其罪置之於法然後撫諭其餘曰吾恐爾曹謂吾心有所貯自今無可疑矣乃擇其忠厚者使爲之長其徒有善則

獎之有罪則懲之咸自安矣今此曹在公私者以萬數豈可盡誅耶夫帝王之道當以重厚鎮之公正御之至於瑣細機巧此機生則彼機應以終不能成大功所謂理絲而棼之者也況今朝廷之權散在四方苟能先收此權則事無不可爲者矣

論修唐史奏　趙瑩

伏以唐室君臨歷年長遠至若王言帝載國史朝經治平之時充溢臺閣自季朝喪亂迨五十年四海沸騰兩都淪覆竹簡漆書之部帙多已散亡石渠金馬之文章遂成殘闕今之書府百無二三臣等虔奉綸言俾令撰述褒貶或從於新意纂修須按於舊書既闕簡編先憂漏落臣今據史館所闕唐書實錄請下敕購求昔咸通中宰臣韋保衡與蔣伸皇甫煥撰武宗宣宗兩朝實錄皆遇國朝多事或值皇輿播越雖聞撰述未見流傳其韋衡裴贄合有子孫見居職任或門生故吏曾託纂修或祕藏於士族之家或韜隱於鉅儒之室聖代方編於舊史耆年有事於故朝聞此謨論諒多

快愜況行恩獎以重購求請下三京諸道及中外臣寮凡有將此數朝實錄詣闕進納請量其文武才能不拘資地與除一官如卷帙不足據數進納亦請不次獎酬以勸來者自會昌至天復垂六十年其初李德裕平上黨著武宗伐叛之書其後康承訓定徐方有武寧本末之傳如此色類記述頗多復有世積典墳家傳史筆或收纂當時除目藏在私居或採摭近代制書以爲文集未逢昌運無以發明今屬搜揚誠爲際會既伸志業許見旌酬請下中外臣寮及明儒宿學有於此六十年內撰述得傳記及中書銀臺事史館日厤制詔冊書等不限年月多少並許詣闕進納如年月稍多記錄詳備請特行簡拔不限資序臣與張昭等共議所撰唐史祇敘本紀列傳十志本紀以綱帝業列傳以述功臣十志以書刑政本紀以綱帝業者本紀之法始於春秋以事繫日以日繫月以月繫時以時繫年刑政無遺綱條不舉須憑長厤以編甲子請下司天臺自唐高祖武德元年戊寅至天祐元年爲甲子轉年長厤

一道以憑編述諸帝本紀列傳以述功臣者古者衣冠之家書於國籍中正清議以定品流故有家傳族譜族圖江左百家軒裳繼軌山東四姓簪組盈朝隋唐以來勳書王府故士族子弟多自紀世功備載簡編以光祖考今宸恩渙洽屬意讜論卿士大夫咸多世族聞茲汗簡孰不慰心請下文武兩班及藩侯郡牧各敘累代官婚名諱行業功勳狀一本如有家譜家牒亦仰送官以憑纂敘列傳十志以書刑政者五禮之書代有沿革至開元刊定方始備儀自寶應以來典章漸闕其祇見郊廟冊拜王公攝事相禮之文車輅服章之數勢移權倖禮或僭差故軍容釋奠於儒宮舉朝議詣巷伯扈鑾而法服博士抗論年代既深禮文斯忒請下太常禮院自天寶已後至昭宗朝已來五禮儀注朝廷行事或異舊章並據增損節文一一備錄以憑撰述禮志四懸之樂不異前文八佾之容或殊往代隋唐以來樂兼夷夏乃有文舞武舞之制坐部立部之名天寶之初雲韶大備寶應之後音律漸衰郊廟殿廷舊章

期闕自咸秦蕩覆鐘石淪亡龍紀返正之年有司特議樂懸宮之義空有其文請下太常寺其四懸二舞增損始自何朝及諸廟樂章舞名開元十部用廢本末一一備錄以憑撰述樂志刑名之制代有輕重隋唐以來疏爲律令從累朝雖有制敕相次增益舊條以此格律之文未能畫一後敕不編於實錄諸制多在於法書請下大理寺自著律令已來後敕入格條者及會昌以來所經疏獄一一關報以憑撰述刑法志律曆五行天文災異中書實錄前代具書自唐季亂離僞編淪落太史所奏並不載於冊書摘見之文時或存於星曆請下司天臺自會昌以來天文變異五行休咎曆法改更於朝代年月一一條錄以憑撰述天文律曆五行等志唐初定官品令三公三師爲第一品尚書令僕射爲第二品兩省御史臺寺監長官六尚書爲第三品自定令已後官品諧升比諸省令文前後同異又有兼攝檢校之例資授冊拜之文軍容或盛於朝儀使前務衙役於省局以此官無定令位以賞功臺府之權隨時輕重來諸官志前代無聞請下御史臺自定令已後文武兩班品秩或升或降及府名使額寺署廢置官名更改一一具析以憑撰述職官志畫野之離疆實均九貢帶河礪嶽受命諸侯唐初守邊則有都督總管之號開元命將自有節度按察之名故刺史多帶於使銜都團更兼於軍額其後四安之地因亂參設於戎夷九牧之中乘寵遂於旌鉞故山河易制名籍實繁請下兵部職方開元以來山河地理使名軍額州縣廢置一一條列以憑撰述郡國志漢述藝文隋編經籍蓋以總括典墳之部牢籠流略之書唐初以迄開元圖書大備歷朝纂述卷軸彌繁若不統而論何彰文雅之盛請下圖書省自唐初以來古今典籍經史子集元撰人姓氏四部大數報館以憑撰述經籍志臣名叨輔弼學愧裁成獲奉制書俾專信史伏以有唐纘曆累葉承平文德武功已紛綸於圖牒記言載筆向闕漸於隋書皇帝陛下永念論賢深思紛綸周武謂成湯之廟不忘故朝漢皇封王赦之孫蓋悲亡國今則已寘優

渥爰勤纂修凡在臣僚孰不知感所懼史才短淺識局荒唐實慮庸虛有孤宸委所陳條例如可施行請下所司庶幾集事

文粹補遺卷弟四

文粹補遺卷第五

吳江　郭麐　纂

文一　總八首

釋疾文　盧照鄰
禡牙文　陳子昂
涇州王將軍文　李觀
送窮文　韓愈
憎王孫文　柳宗元
悲汝南子桑文　皇甫湜
爲人謝乞巧文　沈亞之
登高文　陸龜蒙

釋疾文　幷序

盧照鄰

余羸臥不起行已十年宛轉匡牀婆娑小室未攀偃蹇桂一臂連蹉不學邯鄲步兩足匍匐寸步千里咫尺山河每至冬謝春歸暑

闌秋至雲壑改色煙郊變容輒輿出戶庭悠然一望覆燾雖廣嗟不容乎此生亭育雖繁恩已絕乎斯代賦命如此幾何可憑今爲釋疾文三篇以貽諸好事蓋作易者其有憂患乎刪書者其有栖遑乎國語之作非瞽叟之事乎騷文之興非懷沙之痛乎吾非斯人之徒歟安可默而無述故作頌曰

粤若

粤若稽古帝烈山兮遠矣大矣臣太岳兮欽哉艮哉有太公兮卷舒龍豹奄經營乎四履有先生兮乘騎日月期汗漫乎九垓尚書抗節兮屬炎靈之道喪中郞含章兮遇金行之綱積彼聖賢之相續信古往而今來人何代而不貴代何人而不才鬱律崛岉兮似崑崚之玉石泮渙粲爛兮象星漢之昭回爾其爲廣也碧海雲蒸而地合爾其爲峻也赤城霞起而天開暨中朝之顚覆家不墜乎艮箕紹金柯而玉秀穆蘭馨而菊滋彌九葉而逮余兮代增麗以光熙清風振乎終古妙響薰乎當時皇考慶予以弄璋兮肇錫予

以嘉詞名余以照鄰兮字余以昇之余幼服此殊惠兮遂閱禮而聞詩於是裹糧尋師褰裳訪古探舊篆於南越得遺書於東魯意有闕而必刊簡無文而咸補入陳適衞自舍不厭其栖遑累蠒重胝千里不辭於勞苦既而屠龍適就刻鵠初成下筆則煙飛雲動落紙則鸞迴鳳驚通李膺而竊價造張華而假名郭林宗聞而心服王夷甫見而神傾俯仰談笑顧盼縱橫自謂明主以令僕相待朝廷以黃散爲輕及觀國之光利用賓王謁龍旗於武帳揮鳳藻於文昌先朝好史予方學於孔墨今上好法予晚受乎老莊彼圓鑿而方枘吾知齟齬而不當是時也天子案劍方有事於八荒駕風輪而梁弱水飛日馭而苑扶桑戈船萬計兮連屬鐵騎千羣兮啟行文臣鼠竄猛士鷹揚故吾甘栖栖以赴蜀分默默以從梁其後雄圖甫畢登封禮日方欲訪高議於雲臺考奇文於石室銷兵車兮爲農器休牛馬兮崇儒術屢下蒲帛之書値余有幽憂之疾蓋有才無時亦命也有時無命亦命也時也命也自前代而痛諸

道之乖也則賢人君子伏斧鑕而不暇時之來也則屠夫餓隷作王侯而有餘三仁猖狂兮爲奴爲戮八子狼狽兮爲醢爲葅長劍以撟首想華亭之鶴孤舟欲近遙憶閶門之魚史遷下於蠶室鄧艾徵于檻車康既幽而媿孫登宣屢困而慚甯蘧故其閉門少事蹈滄海而辭組開卷獨得歸茂陵而著書起清流之浩漫長顧嗟乎靈胥重曰積怨兮累息茹恨兮吞悲怨復怨兮坎壈乎今之代愁莫愁兮侘傺乎斯之時皇穹何親兮誕而生之后土何私兮鞠而育之何故邀余以好學何故假余以多辭何余慶之不終兮當中路而廢之彼有初而鮮克兮賢者其猶不欺況陶鈞之象物胡不貞而諒之豈其始終爽德蒼黃變色無心意乎賛履有悲哀乎楊墨已焉哉天蓋高兮不可問地蓋廣兮不容人鐘鼓玉帛兮非吾事池臺花鳥兮非我春寂兮寞歲歲年年長少樂慌兮惚朝朝暮暮生白髮愴怳憤恨兮無所見宛轉聯踡兮獨向隅狀若重狴圜扉之受絏又似乾池涸井之相濡鸞鳳之翮已鎩兮徒奮迅於

龍檻騏驥之足已蹇兮空帳望於廷衢龍門之桐半死鄧林之木全枯尚含情而稟氣兮孰能不傷心而疾首乎歌曰歲將晏兮歎不再時已晚兮憂來多東郊絕此麒麟筆西山祕此鳳凰柯死去死去今如此生兮生兮柰汝何

悲夫

悲夫事有不可得而已矣是以古之聽天命者飲淚含聲而就死推不言兮焚於介山妃不偶兮跂於疑水仰天而歎員憤骨於吳江下淚交頤卿悲歌於燕市天無雷兮聞蟻聚於牀下家非牧兮見牂生於奥裏支離疏之五官已敗哀駘它之六骸不美求時夜兮求鴞炙何逼迫之如此爲鼠肝兮爲蟲臂何煆煉之如彼鬱拂沕滑兮中瞀亂皤薄煩冤兮長恨悗出戶庭兮遊息千萬里兮無極杳兮靄川綿曠兮水如帶唧兮籟山嵔嵘兮雲似蓋萋兮綠春草生兮長河曲試一望兮心斷續晚兮晚夕鳥沒兮平郊遠試一望兮魂不返蘼蕪葉兮紫蘭香欲往從之川無梁日云暮兮涕沾裳松有蘿兮桂有枝有美一人兮君不知氣欲絕而何爲孟夏兮恢台楊柳散兮芙蓉開葉初成兮蠶宛轉花落盡兮燕徘徊望夫君兮不來形枯槁兮意摧殰天何爲兮愁苦麥將秀兮多風梅將黃兮屢雨日色旰爛兮流金而爍石地氣燠煜兮滿室而充戶神翳翳兮似灰命緜緜兮若縷一伸一曲兮比艱難乎尺蠖九生九死兮同變化乎盤古萬物繁茂兮此時余獨何爲兮腸邅迴而屢腐園棋廢兮時不可兮再來鳴琴停兮人何時以重撫秋風起兮野蒼蒼蒹葭變兮露爲霜蟬悲翳兮聲斷雁迷雲兮路長摧折蕭條兮林寡色顦顇芸黃兮草不芳停劒兮懷舊友天外兮思故鄉願一見兮終不得側身長望兮淚浪浪遥兮遠山谷縈迴兮屢轉狀若登薊門兮望胡苑斷兮連井邑邱墟兮知幾年又似登隴首兮見秦川木葉落兮長年悲紅顏謝兮鬢如絲王孫來兮何遲遲思公子兮涕漣洏風嫋嫋兮雨淒淒螢火飛兮烏夜啼牽牛西北兮星已轉織女縱橫兮河欲低秋夜迢迢兮秋未極愁人耿耿兮

愁不息有所思兮在天漢欲往從之兮無羽翼鬱金桅兮木蘭舟青莎裳兮白羽裘戲綠波兮坐芳洲歡不停兮人不留悵容與兮徒離憂元冬慘兮陰氣凝沸泉結兮炎洲冰郊野昏兮寒沙漲河海暗兮繁雲興嚴風急兮密雪下墐戶閉兮無留者盼城郭兮瓊為樹兮玉為樓贍通路兮駕素車兮乘白馬時眇眇兮歲冥冥晝杳杳兮夜丁丁庭有霜兮月華白室無人兮燈影青披重衾兮魂悄悄臥空牀兮目熒熒御熏鑪兮長不暖對危酒兮憂恆滿悲繚繞兮從中來愁纏緜兮何時斷重曰四時兮代謝萬物兮遷化聽春鳥於春朝聞秋蟲於秋夜花覆地兮無待河傾天兮不借無靈草兮駐朽質乎千年無雕戈兮迴踆烏乎三舍夏日長兮繩繩炎風暑雨兮相蒸草木扶疏兮如此余獨蘭單兮不自勝元月兮祁寒窮急景兮摧殘霰雪霏霏兮長委積人事寥寥兮悵漫漫春秋冬夏兮四序寒暑榮悴兮萬端春也萬物熙熙焉感其生而悼其死夏也百草榛榛焉見其盛而知其闌秋也嚴霜降兮殷憂者為

之不樂冬也陰氣積兮愁顏者為之鮮歡聖人知性情之紛糾故歎之曰予欲無言吾將焉往而適耳箕有峯兮潁有瀾歌曰歲去憂來兮東流水地久天長兮人共死明鏡羞窺兮向十年駿馬停驅兮幾千里麟兮鳳兮自古吞恨無已

命曰

命曰昊天不傭兮降此鞠凶昊天不惠兮降此大戾不先不後兮為瘥為瘵痛之憮兮孰知其厲木之柔兮緡之絲之人之溫兮黼之藻之自天祐之兮無不利一者之來兮云何二野有鹿兮其角兟兟林有鳥兮其羽習習余獨何為兮悲攢欒兮憂戢脅南山龍嵸兮樹輪囷北津清泚兮石嶙嶙天之生我兮胡寧不辰少克己而復禮無終日兮違仁既好之以正直兮諒無負於神明何彼天之不弔兮哀此命之長勤百罹兮六極橫集兮我身長攣圈以偃蹇永伊鬱以呻嚬天道何從自古多卬為臧兮匪祐匪仁兮覆庸蹻狠戾兮南氾跖叛渙兮東峯並強大兮薰赫咸壽考以從容勛

則天兮朱已矣韶盡美兮均忽焉公侯之系兮必復堯舜之後兮何偲干執諫兮辛載蕃抗議兮靈年忠與貞兮何仇俱不得其死焉牛一變而爲虎鼈三化而作鵲觸氏居蝸而爭地龍伯釣鼇而訴天何變化之殊俗而大小之相懸長無述焉將不死而爲賊賢哉回也今不幸而早亡明夷何辜兮羑里洪範何恃兮佯狂我視於天兮亦孔之將孔與溺兮殊貫單與張兮相詭紛紜總總兮若茲羌未得其元已盛之孝兮姚何感而遂開合之恭兮昆何嫌兮不起聖人不議姬旦憤於鶗鴂君子無憂周南歌於芣苡五鹿云折退守平陵之田三都已成歸入宜春之里乾不穆兮一爲戍一爲辰坤不恒兮三成田三成水何斯柱之危脆一夫觸之而云折東西眇其既傾西北豁其中裂有杞者國竟未搠其烏蟾有歷其都奄以成其魚鼈其何壯兮而損其盈媧何神歟而補其闕天且不能自固地且不能自持安得而育萬物安得而運四時彼山川與象緯其孰爲之主司生也既無其主死也云其告誰何必拘拘而踽踽固可浩然而順之吾知惡之不能爲惡故去之曰羣生之所蠹吾知善之不能爲善故就之曰有生之大路雖粉骨而糜軀終不改乎此度重曰予既昧此杳冥兮迷之不知其所屆將寄命於六師訪眞訣乎遐外建流星以爲旂邀白雲而爲蓋玉虬紛其旖旎青鸞儼其容裔霓爲裳兮羽爲旗雷爲車兮電爲旆噂噂兮上馳遥遥兮橫厲忽若夢兮有覺與巫陽兮相會巫陽爲予兮潔軀軀告予以雙支朱雀搖而金躍青龍發而火馳虵登樓兮雞入穴雲北走兮水西垂巫陽曰反兮覆兆不告靈蔡誠不能知造化之心數朽骨焉足以定古今之倚伏請導列缺之前旌陪豐隆之後轂披上帝之元鍵考中皇之祕籙於是排雲旌兮叫諸關登紫翠兮伏瑤壇靈烏杲其將駕東皇蠢其既觀余敷衽而未決兮東皇頷而不言玉女申之以瓊蘂靈妃貺之以琅玕悵容與而不駐肅雲軿於南軒窈窕徘徊邈矣悠哉下臨兮星雨上絕兮氛埃彷徨兮三清之館縹緲兮八風之臺俯觀兮故國洞崢嶸兮無極長

懷兮故人涕潺湲兮霑軾橫天苑歷北辰經瑤樓兮一息停余車之轔轔涉明河之清淺過織女而問津巫陽曰左招搖兮右天駟太一之居兮無不利其道也楓爲天兮棗爲地壺往從之兮導君意太乙方握髯低眉右手拄頤或以日臨命以歲加時再轉兮再考三命兮三推華蓋微明兮君子居貞之位太陽陰主兮天人厄運之期若夫一氣鴻濛萬化緇鼇此星精與木局又何足以知之巫陽曰太上有老君焉其名曰伯陽遊閬風之瓊圃處倒景之琳堂披拂日月咀嚼煙霜撫千載兮爲朝爲暮濟萬物兮若存若亡古之聰明博達而不死者將與君子造崑崙之大荒迨而容與弭節翺翔俄參元而下降濟弱水之湯湯躋軒臺而右轉對玉檻之鏘鏘伯陽欣然見予曰昇之來何遲何故疲憊之如是何故枯槁之若茲吾適以爾小別今將千二百期昔者爾爲翟吾固知爾潔潔焉無益其後爾爲周吾欲告爾休休焉不留名已登乎仙格爾身尙蹇乎中州噫哉甚可痛甚可哭多智也命之斧斤多才也身

之桎梏爾形體之在地也每矍矍然求媒精魂之於天也又遑遑焉訪卜何異儀丹鳳於膠柱飼元魚於森木何晩悟之逶迤何早計之彀觫嗚呼何異喪其親也揭竿而求諸海失其子也擊鼓而訪諸途道之遠矣曷其云蘇與影捕逐可不謂悲乎夫道之動也翂翂狭狭靜也若喪若失臟兮不以死生爲二塊兮若以天地爲一生於萬物之後不爲緩死於太古之前不爲疾弊萬類也不謂之凶利四海也不謂之吉夫如是則巨浸稽天而不溺鴻災治地而不然生死不能爲其壽夭變化適足寄其騰遷化而爲魚也則躍龍門而橫碣石化而爲鳥也則培羊角而負青天爲社也則長無斤斧之患爲瓠也則汜乎泱漭之川物無可而不可何必守固以拳拳余於是乎嗒然而喪其偶倏爾而失其知思故池之淥水憶中園之桂枝栩栩然若有得茫茫然若有亡歎彷彿兮覺悟魂已歸乎北鄉其往也人皆爲之避席其返也鳥不爲之亂行歌曰荻山有薇兮潁水有漪夷爲柏兮秋有實叔爲柳兮春雨飛倏爾

而笑汎浪兮不歸

禡牙文　陳子昂

萬歲通天二年三月朔日清邊道大總管建安郡王某敢以牲牢告軍牙之神蓋先王作兵以討有罪奸慝竊命戎夷不襲則必肆諸市朝大戮原野我皇周子育萬國寵綏百蠻青雲干呂白環入貢久有年矣契丹凶羯敢亂天常乃蜂聚丸山豕食遼塞宴安鴆毒作爲欃槍天厭其凶國用致討皇帝命我肅將王誅今大軍已集吉辰協應旄頭首建羽旆前列夷貊咸威將士聽誓方俟天休命爲人殄災惟爾有神尙殲乃醜召太一會雷公翼白虎乘青龍星流彗埽永清朔裔使兵不血刃戎夏來同以昭我天子之德允乃神之功豈非正直聰明哉無縱大雠以作神羞急急如律令

涇州王將軍文　李觀

有涇人告我曰虜侵涇州去城六十里涇軍陷圍固無藩籬脫有走飛有王將軍雖實涇師別戍而來奮少擊衆提急赴危身先其

兵兵後其私張旗爲風伐鼓爲雷風雷之威壯哉鼓旗全涇軍如雲迴破虜陣如山開然後創痛還奔戎醜殘摧將軍猶殺敵不窮駭怒疾馳遂沒於沙埃吁少卿生降蘇武老歸賓憲出師易如將軍之亡哉主上聞之贈官汾州賞則厚矣我竊悲焉悲賞出死後用失生前天下之有用不得聞故多敗殁上之執賞死而加之利爲空名繇是將軍之倫何嘗勸焉涇州之師何嘗保焉苟聖人用人一如將軍斧鉞之雄征鎭之類則將軍無僨屍涇州無陷圍亦可知矣惜昔兵微用卑以致於是焉於戲傷哉

送窮文　韓愈

元和六年正月乙丑晦主人使奴星結柳作車縛草爲船載糗輿粻牛繫軛下引帆上檣三揖窮鬼而告之曰聞子行有日矣鄙人不敢問所塗竊具船與車備載糗粻日吉時良利行四方子飯一盂子啜一觴攜朋挈儔去故就新駕塵彍風與電爭先子無底滯之尤我有資送之恩子等有意於行乎屏息潛聽如聞音聲若嘯

若唬書欻嚘嚶毛髮盡豎竦肩縮頸疑有而無久乃可明若有言者曰吾與子居四十年餘子在孩提吾不子愚子學子耕求官與名惟子是從不變於初門神戶靈我叱我呵包羞詭道志不在他子遷南荒熱爍溼蒸我非其鄉百鬼欺陵太學四年朝虀暮鹽惟我保汝人皆汝嫌自初及終未始背汝心無異謀口絕行語於何聽聞云我當去是必夫子信讒有間於予也我鬼非人安用車船鼻齅臭香糗粻可捐單獨一身誰爲朋儔子苟備知可數已不子能盡言可謂聖智情狀既露敢不迴避主人應之曰子以吾爲眞不知也耶子之朋儔非六非四在十去五滿七除二各有主張私立名字捩手覆羹轉喉觸諱凡所以使吾面目可憎語言無味者皆子之志也其名曰智窮矯矯亢亢惡圓喜方羞爲姦欺不忍害傷其次名曰學窮傲數與名摘抉杳微高挹羣言執神之機又其次曰文窮不專一能怪怪奇奇不可時施祇以自嬉又其次曰命窮影與形殊面醜心妍利居眾後責在人先又其次曰交窮磨肌

戞骨吐出心肝企足以待寘我讎冤凡此五鬼爲吾五患饑我寒我興訛造訕能使我迷人莫能間朝悔其行暮已復然蠅營狗苟驅去復還言未畢五鬼相與張眼吐舌跳踉偃仆抵掌頓腳失笑相顧徐謂主人曰子知我名凡我所爲驅我令去小黠大癡人生一世其久幾何吾立子名百世不磨小人君子其心不同惟乖於時乃與天通攜持琬琰易一羊皮飫於肥甘慕彼糠糜天下知子誰過於予雖遭斥逐不忍子疏謂予不信請質詩書主人於是垂頭喪氣上手稱謝燒車與船延之上座

憎王孫文 并序　　柳宗元

猨王孫居異山德異性不能相容猨之德靜以恆類仁讓孝慈居相愛食相先行有列飲有序不幸乖離則其鳴哀有難則內其柔弱者不踐稼蔬木實未熟相與視之謹既熟嘯呼羣萃然後食衎衎焉山之小草木必環而行遂其植故猨之居山恆鬱然王孫之德躁以囂勃諍號呶唶唶彊彊雖羣不相善也食相噬齧行無列

飲無序乖離而不思有難推其柔弱者以免好踐稼藉
披攘木實未熟輒齕齩投注竊取人食皆知自實其嗛山之小草
木必淩挫折挽使之瘁然後已故王孫之居山恒蕎然以是猨羣
衆則逐王孫王孫羣衆亦齚猨猨棄去終不與抗然則物之甚可
憎莫王孫若也余棄山閒久見其趣如是作憎王孫云

湘水之㴋㴋兮其上羣山胡茲鬱而彼瘁兮善惡異居其閒惡者
王孫兮善者猨環行遂植兮止暴殘王孫兮甚可憎噫山之靈兮
胡不賊旃跳踉叫囂兮衝目宣斷外以敗物兮內以爭羣排鬬善
類兮譁駭披紛盜取民食兮私己不分充嗛果腹兮驕傲驩欣嘉
華美木兮碩而繁羣披競齧兮枯株根毀成敗實兮更怒喧居民
厭苦兮號穹旻王孫兮甚可憎噫山之靈兮胡獨不聞猨之仁兮
受逐不校退優游兮惟德是傚廉來同兮聖囚禹稷合兮凶誅羣
小遂兮君子違大人聚兮孽無餘善與惡不同鄉兮否泰既兆其
盈虛伊細大之固然兮乃禍福之攸趨王孫兮甚可憎噫山之靈
兮胡逸而居

悲汝南子桑文 并序

皇甫湜

汝南周子桑治詩通春秋非仁義不動止年二十三貞元十九年
如京師將舉五經秋及陝見無舉詔東還冬及宋而病閏月丁亥
而死時天寒大雪火不星前纊不銖身寒之聲與將死之聲犁然
其具書存乎側其所行存乎側友人安定皇甫湜適至見之而哀
之爲文悲之

渾沌無端誰開闢之善惡未形誰分白之善其福之惡其禍之謂
善之福夷死何饑謂惡之禍跖死何肥何闒闒之死金玉其墓何
黔婁之死手足不覆孰主張其事而顛倒其數天且高地且遼鬼
神之形幽敢問何故巫咸招曰來吾語汝天有正理地有坦途精
者常不足麤者常有餘有餘常豐不足常枯子乃惑之一何愚人
事著矣指物以復子何聖者千年而愚者如麻鳳凰不下而雞鶩
滿家何草不芝盡野而莎何蟲不龍盡水而鰕非精者理少而麤

滿宗何草不芝之盛邪而遂何蕤不韙而盡本而飛非精者不理也而靈
事審矣情物以復予何理者年而感蓋如麻乃鳳獻不下而難鑄
者帶不見鼇者常有餘咏常賈不足當如子乃之一向遊人
神之形幽散問何故巫咸招曰求書而諸彼人有正理之地有過精
騷之夔死手足不覆孰主張其事而顛倒其數天月死何湖日遠鬼
善之福夷死何微謂是之禍胎死誰何肥何闕之福之死命王其墓何謂
渾化無諸誰闕之善惡未形誰分白之善其福之惡其禍之謂
之為文悲之
其書兮乎側其所行存乎側文人安乎皇甫湜適王見之而效
而死時天實大雲火不星前離不錄其死之聲與將死之聲率然
如京師將舉五經秋及陳見無舉詔東選及宋而病閏月丁亥
故南周子桑治詩道春秋非仁義不動止年二十三貞元十九年

悲汝南子桑文并序　皇甫湜

今胡遁而居

經遙佃細大之固然兮乃隔通之假寓王孫兮已可懵隱山之靈
小遊遙兮不返兮遭大人兮乃雖離邪善與同兮顯里兮同鄉兮纔合兮秦以仁壽兮
安囑苦兮不雄惜覺王孫兮惟隕是可鑑微康山之壞兮成取實兮更宜居民嘉
華美兮木誰賦兮秉揚而繁王孫兮被食兮私已晰不以兮殘兮成物兮復以平居嘉善兮
贖不孫兮賦辨者跋磐吠賦行遂食兮目宜亡斷外發以王孫物兮可以舉山閣靈兮
胡王孫之嵌苦兮其上鬱山間胡兹鬱其遺發王孫兮其可憐兮居其間靈淒
王孫之王遂王孫今兮鬱山間人路見其遠棄去孫兮是倍擇兮王孫之
淵實則遂王孫甲楼使之邈鬱山閒人路見其遠棄王孫兮倍王抗然則物之甚可
涿木彼後舉所兮鬱之脫技注己棄王孫之苦知山何以山人是小可嘗
木披遊木實來兮彼之皆人食之苦知自實以人之遂不擾
飲無皂非離而不患有雜其奈人貴以免好路以所遊所取

者理多蘭萎何先蕕死何難玉何爲而脆石何故而頑衣冠何蹇戎狄何蕃何麟而怪何鶴而軒彼人事皆然推於物亦然是爲自然巫咸畢歌歌已而去之曰父耶母耶天兮人兮已焉哉謂之何哉

爲人譔乞巧文　沈亞之

邯鄲人伎婦李容子七夕祀織女作穿針戲取笤篁芙蓉雜致席上以望巧所降其夫以爲沈下賢攻文又能䎖窈窕之思善感物態因請撰爲情語以導所欲詞曰惟雲渚之晨秋兮天曠碧以凝暮懸韶桂於姹月泫明淚之清露卽河房之將期儼龍輪以就駁恭聞司巧之多方妾修馨香以奉具竊獨溺於自私希靈娥之所付珂〔珊一作〕碧凝其異質兮韻隆虹於霾霽假文羽於孔雀兮而使擅夫佳麗載雲蟬之重緌兮塗鑾金於綺箄細綃縷於藕腸兮差蓮跗以樣齒〔齒一作緻〕命纖瓜之蟲絲兮臭櫓機之夕綴是物之巧功善飾願賜妾於針紉也葩葶鬱於濃妍色多宜以善喜引纖吹於輕颸若將翔而復倚醉春光之流景播清香於萬里霓煙出乎無閒縹窈渺以斐亹若披若曳兮搘平林兮橫曉水襲霽旦之繁芬兮因隱映而增綺澹冉冉其冶容兮世無隱以偕此是物之巧容善態願委妾於態媚也短蒲狹涘兮曲溜溢鴒鵲鶵雛兮引乳娣戲音清諧兮蕩演曳牽裾之低凝兮蔓春心於淇裔枯寒勁榦兮憶棄葉擺風叫夜兮留爍雪流韻淒澀兮決啱咽吟夢語之漣漣感霜鐘之流越是物之巧音善感願付妾於管弦也

登高文　陸龜蒙

金行告窮日御初九桐陰雨壓乎泥沙菊氣風揚乎戶牖寒無以衣病不得酒茫洋於心噎嗢在口稚子拱而進曰古往滔滔人生實勞或暇或逸以嬉以遨茲辰甚良足嘯吾曹趨山選臺席餌樽醪既可逭乎災眚亦聊釋乎鬱陶齊諧之流載此世所謂夫登高者也嘗有意乎予曰吁稚子之知止於是耳曾不探乎奧旨吾數畝之閒門常晝關學無端倪宛若循環時孤笑以獨憤樂正直而

非險艱爲書摭之與善治頑有行同而跡類者僨疾乎聲顏一驥在坂百駑在閑傳嘶振秣侮病擠孱仲尼登東山而小魯況肆遠目而務周旋者哉陽專奥邃假竊名器有土有人前呵後騎侫舌咿啞所向上下鏜威介私放蕩侈哆如此者又欲見耶崇閎大居墍粉塗朱脊會螭屹屏環獸鋪輪鮮虩驕羽翼成徒繡碧其內絲篁彼姝主張何人庸兒賈夫如此者又欲見耶纓弁外飾悔咎中積簡棄信行附比凶德仁澤乾枯義路塡塞權之所憎始厚終斥權之所憐昨罵今惜反掌背面天遼海隔如此者又欲見耶國金鑄兵赤子聚盜殺人無慚罪人何蹤造化不象名稱同暴以竊牆垣不塡堂奥生靈幾何過半減耗殘存伶俜轉輓犒勞羸豪偏陂役使顛倒鄉毆吏笞不舍童耄如此者又欲見耶古所謂登高能賦者賦物之姿慘戚在下吾寧忍欺爾以災眚可追鬱陶可披我中時病言開怒隨我感物悴遐瞻邇噫是使災眚彌熾鬱陶愈悲唯爾教我百無一宜我穀未實我蔬未肥弗視農圃吾將曷歸無重我悔吾方憤憤稚子不樂惴縮而退

文粹補遺卷弟五